Lo que vi en

SUEÑOS

Lo que vi en

SUEÑOS

Compréndelos para obtener
ÉXITO Y FELICIDAD

Josephine Stark

la buena estrella
ediciones

Lo que vi en sueños

D.R. © La Buena Estrella Ediciones, S.A de C.V.
Amado Nervo No. 53-C, Col. Moderna
México 03510, D.F.

Licencia editorial para DIRECT BRANDS INC.
por cortesía de La Buena Estrella Ediciones, S.A. de C.V.

DIRECT BRANDS INC.
One Penn Plaza
250 West 34th Street
NY, NY 10119

ISBN: 978-1-61523-087-7

Diseño de portada: Enrique Beltrán Brozon
Diseño de interiores: Raymundo Montoya Aguilar
Corrección: Rafael Cervantes Aguilar
Fotografías: Aranza Hernández Rojas, Petr Kovac, Dnabil, Asif Akbar, Lynnee
Lancaster, Dora Mitsonia, Glanham, Moi Cody, Michal Zacharzewski, Red
Vari, Lukás Patkañ, y Pano Art.

Índice

La humanidad siempre, desde épocas antiguas, ha experimentado perplejidad por los numerosos enigmas que le plantea su existencia. Uno de los más persistentes es el fenómeno de los sueños. Para todos los pueblos los sueños tienen un significado, incluso los hombres primitivos tenían sus propias teorías sobre este tema. Ellos pensaban que, mientras dormían, su alma se separaba del cuerpo para reunirse con el espíritu de la noche. Los egipcios, los hebreos, y luego los griegos y los romanos creían que en los sueños se ocultaban importantes mensajes de los dioses.

La muerte pasajera, que es el sueño, ha sido el campo de estudio de las mentes más brillantes de la historia. Los estudiosos de este fenómeno conocen la existencia de numerosos papiros egipcios en los que se encuentra plasmada la preocupación que los antiguos tenían por los sueños y su interpretación. El primer testimonio del que tenemos conocimiento data de hace más de 4 mil años, un papiro recopilado por los sacerdotes del dios Horus en el que se recopilan 234 sueños y la interpretación que los sacerdotes hacen de ellos.

En realidad el fenómeno de dormir es una paradoja en sí misma, pues es una actividad que se realiza en ausencia de todo tipo de actividades, lo que llevó a los filósofos griegos a plantearse una serie de teorías para explicarlo científicamente. Los más prominentes entre ellos postularon teorías que, en algunos casos, siguen siendo válidas en nuestros días. Aristóteles, el más científico de todos los filósofos, escribió que los sueños eran una válvula de escape o una representación mental de enfermedades o disturbios corporales. También dijo que el sueño es un estímulo para los pensamientos y soñar nos impulsa a realizar actividades similares a las del sueño. En ese sentido, Aristóteles es el primero en dar un carácter científico a los sueños denominados proféticos.

Desde esa lejana antigüedad hasta nuestros días ha corrido mucho tiempo, pero ahora, más que nunca, gracias a los estudios, los postulados y las investigaciones de Freud, Jung y otros, las teorías psicoanalíticas han logrado que los sueños sean debidamente apreciados y tomados en cuenta como fenómenos que afectan todas las facetas de la existencia. El hombre sigue soñando y buscando la interpretación de sus sueños.

Cómo recordar nuestros sueños

Muchas personas tienen la facultad de recordar sus sueños, mientras que otras son incapaces de hacerlo y creen que no sueñan. Pero aun aquellos que suelen recordarlos, no se dan cuenta de que olvidan, con el paso de los días, buena parte del material de sus sueños debido a que no tienen un método eficaz para recordarlo. Muchos sueños se esfuman apenas despertamos y es una experiencia frustrante traerlos de nuevo a la conciencia. A veces la simple motivación es un recurso suficiente para recordarlos. Muchas personas, cuando se persuaden de que son importantes, se programan, por así decirlo, para no perderlos. Pero quienes tienen un dormir muy profundo difícilmente logran despertar inmediatamente después del periodo de sueño MOR (movimiento ocular rápido), que es el momento en que uno suele soñar. Le sugerimos que antes de dormir se recuerde que debe recuperar lo que sueña. Asegúrese de que al despertar tendrá unos minutos sólo para usted, y en ese momento de tranquilidad, dedíquese a escribir o grabar su sueño. Eso podría ser suficiente. En la labor de recuperar los sueños, como en otras actividades conscientes, la intención tiene una importancia suprema: mientras menos relevancia le damos al sueño, menos seremos capaces de recordarlos, y viceversa. Pero si esta sencilla programación no le da resultado, lo invitamos a leer las técnicas de recuperación de los sueños que encontrará en la introducción de su *Diario de sueños*.

Sueños sexuales

Hay algunos sueños que, por su contenido, difícilmente los contaríamos a otra persona. Entre ellos, por lo que descubren de nosotros, están los sueños sexuales. Esta clase de sueños revela que nuestras actividades sexuales no se paralizan mientras dormimos, sino todo lo contrario, en realidad las actividades sexuales son más frecuentes durante el sueño que en la vigilia. El sueño es una válvula de escape que proporciona el organismo a la psique para desahogar tensiones, relajar inhibiciones y compensar frustraciones. De lo que se deriva que mientras más reprimida es una personalidad en conjunto, más sueños sexuales tiene. Mucha gente se preocupa por el contenido de sus sueños explícitamente sexuales debido a que no se  reconoce en ellos, y le causa extrañeza asumir un comportamiento incorrecto o contrario a sus principios y valores. Por eso hemos dedicado un apartado a explicar el significado de estos sueños. Los sueños son como un enorme patio de recreo en el que la censura no tiene lugar, por lo que ese espacio está libre para tener una gran cantidad de fantasías e imaginación. En él las personas obtienen satisfacciones que no tienen en su vida despierta. Muchas personas han experimentado su primer orgasmo en sueños, mientras que otras sólo han conocido el placer sexual gracias a sus sueños. Estudiar detenidamente el contenido de estos sueños permitirá tener un conocimiento más claro y penetrante de la propia personalidad. Los homosexuales pueden tener sueños eróticos con personas del sexo opuesto, aun cuando no sea esa su tendencia sexual, y lo mismo las personas heterosexuales pueden tener fantasías de sexo gay. En otros casos, se puede tener sexo en sueños con gente que en la vigilia nos cae mal o nos provoca algún rechazo. En realidad estos sueños sólo tienen un significado de rompimiento de tabúes y no revelan tendencias ocultas ni impulsan a la persona a llevar a cabo lo que ha soñado. El factor más importante de estos sueños consiste en que podemos aprender acerca de nuestros deseos y nuestras necesidades.

La muerte en los sueños

Uno de los sueños más perturbadores, por la trascendencia que la palabra misma tiene en relación con la vida, es el sueño de la muerte. Sin embargo, éste es un sueño susceptible de contener literalmente cientos de significados. Debido a su importancia, es uno de los contenidos que más se ha estudiado. En nuestros sueños la muerte no es aviso de fallecimiento, sino de cambios importantes para nuestra vida y nuestro desarrollo personal. Es muy probable que una persona sueñe con la muerte cuando en su vida se dan escenarios en los que   el trabajo no le satisface, la pareja no la hace feliz o siente que sus días transcurren en una atmósfera fría y gris. Hacer a un lado lo conocido para dejar lugar a la esperanza de una vida mejor y ver las cosas de un modo totalmente diferente.

La muerte también puede proyectarse en los sueños como una vía de escape durante momentos de un gran cansancio, cuando las metas parecen lejanas o inalcanzables a pesar de los esfuerzos y aparece la frustración. La muerte es en este sentido una necesidad de descanso, de deseos de tranquilidad y aislamiento.

Aun los sueños en los que la muerte aparece como un signo de pérdida de la vida, como es el caso de los ancianos enfermos que sueñan con su propia muerte, generalmente son sueños consoladores, pues el subconsciente les avisa que deben prepararse. En estos casos representa un anhelo muy profundo por terminar con los sufrimientos y abrazar una nueva vida, de mayor transcendencia.

Los números y sus símbolos ocultos

Antes de que usted se adentre en el significado alfabético de sus

sueños, conviene que nos detengamos en la simbología de los números. Algunos de los sueños más intrigantes están relacionados con los colores y los números, conceptos ambos de difícil traducción a hechos, debido a su naturaleza abstracta. Sobre los colores usted podrá consultar la entrada correspondiente en el diccionario alfabético, que es bastante amplia y

esclarecedora, pero conviene que digamos una palabra antes acerca de los números.

Aunque la cábala y la numerología son disciplinas más apropiadas para la interpretación de los números en los sueños, conviene conocer el significado más evidente (y perfectamente documentado) de los números más comunes en un sueño. Cuando un número vuelve una y otra vez a un sueño, debemos saber cómo interpretarlo. La siguiente tabla ayudará a dar un orden y un significado específico a este sueño.

Cero: Renacimiento, regeneración, gestación y comienzo.
Uno: Individualidad, independencia y originalidad.
Dos: Intuición, calma y paz interior.
Tres: Expansión, felicidad y buen humor.
Cuatro: Solidaridad, autonomía y control.
Cinco: Renovación, comunicación, actividad sexual y novedades.
Seis: Hogar, bondad y generosidad.
Siete: Orgullo, distracción y falta de concentración.
Ocho: Responsabilidad, poder y ambición, recompensas.
Nueve: Actitud positiva, espiritualidad, esperanza en el futuro.

Abanderado

Este sueño indica que serás distinguido de alguna forma en tu vida personal o en el ámbito profesional. Sin embargo, si sueñas que estás incómodo siendo abanderado o que la bandera te pesa o lastima, indica que para alcanzar el honor tendrás que librar alguna o algunas batallas. Si el peso de la bandera es ligero y no experimentas ninguna incomodidad, las cosas irán bien y no se vislumbran dificultades en tu camino al éxito.

Abandonar

En muchos casos, dependiendo de las circunstancias, los sueños de abandonos no son necesariamente negativos. Si sueñas que te abandonan, refleja temor e inseguridad respecto a la persona con la que sueñas. Si en el sueño alguien te abandona, el significado puede ser positivo, pues indica que las personas te tienen mucho afecto, aun si no lo demuestran. Es señal también de una próxima reconciliación con alguien de quien estás alejado. Si tú eres quien abandona, probablemente tendrás algunos problemas pero los solucionarás con relativa facilidad,

> Estamos hechos del mismo tejido que nuestros sueños. Nuestra pequeña vida está rodeada de sueños. *William Shakespeare*

aunque también puede significar que deseas liberarte de alguna situación penosa.

Sueños específicos:
* En el sueño ves que alguien abandona a otra persona. Significado: Anuncio de buenas noticias.
* Tu madre te abandona: Problemas de dinero.
* Tu padre te abandona: No tienes apoyo y sientes que serás incapaz de alcanzar tus sueños.
* Tu marido te abandona: Te has metido en aprietos que desembocan en problemas económicos. También indica el temor inconsciente de infidelidad por parte de tu pareja.

Por lo general, soñar que te abandonan, te indica una sensación de desamparo real que se puede deber a circunstancias variadas. Puede ser que en tu trabajo no te sientas respaldado y creas que te fallan las fuerzas para realizar las actividades que te han encomendado. Temor a fallar. También puede ocurrir que el sueño te esté advirtiendo que estás descuidando tu salud. Tu cuerpo no te responde porque tú mismo lo estás abandonando. Por otra parte, si sueñas que te abandonan y no te sientes mal por ello, indica que te has liberado o estás por liberarte de un yugo o una carga pesada.

Abanico

Los sueños surgen de las épocas históricas que se viven. Antes se soñaba mucho con abanicos y uno de sus significados evidentes era la coquetería. Ahora, como han caído en desuso, suele soñarse poco con ellos. En todo caso, indican formas de hipocresía. Cubrirse con un abanico es una clara señal de que no se desea dar la cara y que se pretende que no se descubran las intenciones. Si tú manejas el abanico, sabrás que te guía el deseo de no ser descubierto. Del mismo modo, si sueñas que alguien más maneja un abanico, significa que se esconde de ti. Hay intrigas a tu alrededor, malicia y falta de sinceridad.

Abatimiento

Mostrarse abatido en un sueño indica un dolor consciente o no, que se filtra al sueño. Si alguien más aparece en tu sueño, esa persona te está preocupando por alguna razón. En cambio, si apareces solo en el sueño sintiéndote abatido, el significado más común es que estás reflejando inseguridad en ti mismo.

Abdomen

El significado más evidente y directo de soñar con el abdomen puede indicar problemas de salud en esa parte del cuerpo. Pero también tiene otros significados simbólicos. Si en su sueño ves que el abdomen se te hincha, como si estuvieras engordando, indica que estás próximo a disfrutar de riqueza o reconocimientos profesionales. Si sueñas con el abdomen de una mujer, hay un deseo sexual insatisfecho. Si la persona a la que le ves el abdomen en el sueño es alguien no cercano o desconocido, el significado es que alguien querrá traicionarte.

Abecedario

Este sueño es poco común, por lo que se ha explorado poco su significado. Los especialistas creen que puede tener relación con ansias de logros académicos pero también la esperanza de que encontrarás nuevos caminos para alcanzar tus deseos.

Abejas

Significado general: Satisfacción por tus logros en el trabajo. Éxito, felicidad y prosperidad en tu vida.

Sueños específicos:
* Una abeja que vuela en el campo mientras la observas indica que te sientes bien con tu vida. Hay o habrá un amor correspondido y una vida social y económica plena.
* Sueñas que sacas miel de la colmena. Si las abejas tratan de impedirlo, indica que las ganancias que deseas obtener no son obtenidas de manera honesta. Si sacas la miel sin que las abejas te molesten, indica prosperidad con el beneplácito de la gente que te quiere.
* Una abeja revolotea sobre tu cabeza. Es una indicación de que sobrevendrán problemas a los que tendrás que hacer frente. Sin embargo, es un presagio también de que los superarás y alcanzarás una posición más alta de la que ya disfrutas.
* Una abeja posada en una flor. Indica una vida serena. También la posibilidad de la llegada de un nuevo amor a tu vida.
* Matar a una abeja. Tiene un significado doble: Te vas a desha-

cer de alguien que te ha estado causando pro-

> Ves cosas y dices: "¿Por qué?" Pero yo sueño cosas que nunca fueron y digo: "¿Por qué no?"
> George Bernard Shaw

blemas, o bien, está arruinando tus posibilidades de éxito.
* Una abeja te pica. Problemas de salud, pesares y tristezas, traiciones de personas en las que confías y peleas en el horizonte próximo.
* Un enjambre enfurecido. Problemas con tus socios.

En general, sin embargo, los sueños con abejas anuncian cosas muy positivas: triunfos, buena suerte, felicidad, abundancia y prosperidad.

Abertura

Soñar con una abertura siempre es una buena señal. Si estás abrumado porque no encuentras la salida a un problema, una abertura es signo de que hay grandes esperanzas de resolución. Es también un sueño que fortalece la autoestima, pues al salir de una situación muy difícil tu carácter se hará más firme y temerás menos a las dificultades que presenta la vida.

Abismo

Soñar con un abismo es muy común. En su significado más evidente, representa el temor a las alturas. Pero también indica peligros de los que no saldrás indemne con facilidad. Si durante el sueño caes en un abismo, es un aviso de que las cosas al final te resultarán en desastre.

Sin embargo, si sueñas que puedes salir del abismo, entonces te costará mucho trabajo, pero superarás tus problemas.

Sueños específicos:
* Soñar que cruzas un abismo por un puente indica otras cosas. Si el puente es representa inseguridad en

> Si es bueno vivir, todavía es mejor soñar, y lo mejor de todo, despertar. Antonio Machado

frágil, lo que haces, o desamparo, te sientes solo y sin ayuda. En cambio, si el puente es sólido, indica que estás tranquilo después de haber enfrentado grandes peligros.

Abogado

El sueño en el que un abogado está involucrado siempre presagia problemas. Si tú representas el papel del abogado, significa que estás presionando demasiado a otras personas, al extremo de provocarles grandes dificultades. Si, por el contrario, te enfrentas a un abogado en sueños, serás tú quien se sienta agobiado por problemas de difícil solución.

Aborto

Soñar con un aborto tiene múltiples significados, ninguno de ellos promisorio. Indica, en un nivel superficial, que aquello por lo que te has esforzado se verá malogrado por obra de la naturaleza o las envidias de otros. Significa también tristeza y enfermedades.

* Si un hombre sueña con un aborto, además de lo dicho acerca del fracaso de sus esfuerzos, también indica que algún rasgo de su carácter provocará fracasos en su vida sentimental.

* Soñar que uno provoca un aborto es un presagio de que está obstaculizando la felicidad de otra persona. También, si lo provocas o eres testigo del aborto, indica que sufrirás las consecuencias de tus malas acciones. Este sueño te advierte que debes cambiar, ser más flexible y comprensivo para evitar disgustos que al final terminarán afectándote también.

Los sueños son sumamente importantes. Nada se hace sin que antes se sueñe. George Lucas

Abrazar

Soñar con abrazar a alguien indica el afecto que se tiene por esa persona, a veces sin que se haya dado cuenta. Pero si en el sueño abrazas a alguien por quien sientes sospechas, es una confirmación de que las muestras de afecto que recibes de ella no son sinceras. El abrazo es un contacto físico muy cercano por medio del cual, en el sueño, se advierten los verdaderos sentimientos existentes entre tú y la persona que te abraza o a la que abrazas.

Abrazo

Algunos sueños en los que intervienen los abrazos tienen una raíz en el inconsciente colectivo. Por ejemplo, si sueñas que alguien te abraza mientras te besa en la mejilla, es un signo de traición, el beso de Judas. Lo mismo vale si sueñas que te abrazan apasionadamente.

Sueños específicos:

* Descartando el significado evidente contenido en los sueños eróticos, si sueñas que una mujer te abraza y te besa en la boca, es un anuncio de una traición.

* En general, abrazar a tu pareja en el sueño indica malos entendidos, futuras separaciones y hasta una infidelidad. Sin embargo el sueño más claro sobre este tema es que si la mujer sueña que abraza a un hombre que no es su esposo, es casi seguro que le será infiel.

* Abrazar a un familiar presagia enfermedades, problemas graves o tristezas para él.

* Abrazar a un desconocido indica que estás dando tu consentimiento a la entrada de problemas en tu vida.

* Abrazar a un animal, a una mujer fea o a un objeto como una piedra fría y rugosa o de contacto desagradable indica preocupaciones, enfermedades o engaños.

* Soñar que abrazas a alguien que te aparta con violencia tiene un significado muy evidente de rechazo por parte de la otra persona, rechazo que puede desembocar en separación o divorcio.

* Soñar que abrazas a un ser querido ya muerto indica que te ha perdonado y te está otorgando su protección.

Abuelos

Los abuelos representan siempre sentimientos entrañables y momentos fe-

lices y llenos de ternura, salvo contadas excepciones. Soñar que hablas con un abuelo tiene significados muy evidentes y directos. Si el abuelo te regaña o está serio contigo, indica que hay algo en tu inconsciente que sale a la luz en el sueño y te lo reprocha por medio de tu abuelo.

Si sueñas que tus abuelos están muertos o padecen alguna enfermedad, es un signo de que vienen tiempos de tristeza.

Por el contrario, si los abuelos están vivos, el presagio del sueño es bueno, aunque probablemente tú los convocas en tu sueño porque te sientes inseguro y necesitas el consejo de alguien con experiencia. En algunos sueños, los abuelos pueden transmitirte un mensaje importante al que debes hacer caso.

Significado general: necesidad de sabiduría.

Abrigo

Soñar con un abrigo puede indicar significados contradictorios. Si el abrigo es de calidad, te sientes cómodo y protegido en tu vida. Pero también puede indicar que te escondes detrás de tus ropajes para evitar que descubran acciones de las que no te sientes seguro. Si sueñas a alguien portando un abrigo, el significado es exactamente el mismo, pero actúa en tu contra, pues esa persona se esconde de ti para realizar acciones inconfesables.

En general, soñar con un abrigo indica engaño y maldad.

Abundancia

Soñar con abundancia material indica directamente que disfrutas la vida y te sientes satisfecho, pero también es un aviso de que tu situación puede cambiar repentinamente y que en tu futuro próximo la seguridad de la que disfrutas te abandonará. Es un aviso muy claro de que debes cuidar tus posesiones para no perderlas.

Aburrirse

Descuido de tu parte. Estás bajando las defensas ante tus enemigos. Soñar que estás aburrido es un signo de que las personas que se oponen a ti están descubriendo tus puntos débiles. También indica que aunque sientas apoyo por parte de los demás para llevar a cabo tus proyectos, en realidad este es un apoyo falso y será necesario que te esfuerces lo suficiente para realizarlos sin ayuda alguna.

Significa soledad y aislamiento.

Acantilado

Un acantilado es un reto. Si en el sueño te sientes con la fuerza y la

Cuando nuestros sueños se
han cumplido es cuando
comprendemos la riqueza de
nuestra imaginación y la pobreza
de la realidad.

Ninón de Lenclos

**Confiad
en los sueños,
porque en ellos se esconde
la puerta de la eternidad.**

Gibrán Jalil Gibrán

capacidad suficientes para escalarlo, significa que enfrentarás dificultades pero saldrás de ellas con tu propio esfuerzo. Confianza en tus propias capacidades. Por el contrario, si sueñas con un acantilado que te impide seguir adelante, indica que te verás ante problemas insolubles y por un tiempo al menos experimentarás depresión ante la impotencia de seguir adelante por ti mismo.

Acaparamiento

Si te sueñas acaparando algo, es seguro que no deseas cumplir algunas promesas hechas. Si eres testigo del acaparamiento, son otros los que están urdiendo no cumplir las promesas que te han hecho.

Acariciar

Este es un sueño de buenos presagios en términos generales. Denota seguridad, afecto, amor, sensación de seguridad y placer por la vida. Tu vida interior es equilibrada y cuentas con el cariño de la gente que te rodea.

Sueños específicos:
* Acariciar a un animal en sueños es el único mal presagio relacionado con el tema. Indica que alguien de tu entorno está pasando por una mala temporada.
* Soñar que alguien te acaricia indica el afecto y la buena voluntad que esa persona siente por ti, aun si no siente que se lo demuestras.
* Soñar que alguien te acaricia

las manos indica que esa persona siente un amor genuino por ti.

* Soñar que una pareja del pasado, por ejemplo tu ex esposa o algún ex novio, te acaricia, indica que aún guardas fuertes sentimientos de amor por ella y desearías volver a sentir su presencia o contar con ella.

* Soñar que un hombre acaricia el cabello de una mujer indica que aprecia su intelecto y admira su inteligencia. La acción de acariciarla, además, sugiere un amor muy fuerte por esa persona.

* Soñar que acaricias alguna parte de tu cuerpo para atenuar un dolor, indica que debes ser cuidadoso de tu salud, especialmente de esa parte que acaricias.

* Por el contrario, si una mujer sueña que un hombre la acaricia en cualquier parte del cuerpo indica una sensación de confianza en su pareja y que se siente segura y protegida por él.

* Soñar que te acaricias a ti mismo el cabello indica tu deseo de ser aceptado. También es un signo de que están por llegarte algunas ideas que te ayudarán a encontrar nuevos y positivos caminos en tu vida.

Accidente

Un accidente es un anuncio de que estás exponiéndote a peligros de modo totalmente innecesario. También puede ser un indicativo de que debes tomar decisiones importantes sobre las que no te sientes muy seguro. Un accidente siempre es un mal presagio y tu subconsciente te está avisando que debes ser muy cuidadoso, revisar tu vida y verificar que no te estás exponiendo demasiado a peligros que pueden ser fatales.

Sueños específicos:

* Soñar que un familiar o amigo tuyo sufre un accidente indica que has estado distanciado de él y tu subconsciente te pide que te esfuerces por un acercamiento. Sensación de culpabilidad.

* Soñar con un accidente de tráfico tiene un significado muy directo. Estás llevando tu vida al límite y debes tomar en cuenta este

aviso. Trata de vivir una vida más relajada.

* Soñar que sufres un accidente doméstico, en cualquier parte de la casa (aunque los sueños más comunes se ubican en la cocina o el baño) indica muy claramente que debes protegerte y proteger a la familia.

* Soñar que tienes un accidente aéreo puede ser una proyección de tu temor a viajar en avión, pero también, de modo simbólico, indica que tratas de realizar sueños inalcanzables.

* Soñar que sufres una caída por causa de un resbalón indica inseguridad, no estás sintiendo que pisas en terreno firme. Si tienes este sueño en los días previos a cerrar un negocio, te conviene revisar exhaustivamente los términos del mismo.

* Soñar que eres testigo de un accidente en el que ni tú ni nadie cercano está involucrado sólo indica alguna contrariedad sin consecuencias.

En general, sin embargo, soñar con accidentes tiene implicaciones negativas que pueden relacionarse con rupturas, peleas, enfrentamientos con socios o amigos, problemas de salud y temores ocultos.

Aceite

Es un sueño con significados tan diversos, tantos, como tipos de aceite existen. Indica, en términos generales, suavidad, una sensación de deslizarse por tu entorno sin fricciones ni complicaciones, aunque también alerta sobre una distracción ante peligros no muy evidentes pero tampoco de grandes proporciones o que te amenacen gravemente.

Sueños específicos:
* Soñar con algún tipo de aceite sin saber de cuál se trata específicamente indica satisfacción y despreocupación por dificultades sin importancia.
* Soñar con una gran cantidad de aceite presagia abundancia.
* Soñar que te dan un masaje con aceite sugiere proyectos

que serán llevados a buen fin. También revela un temperamento sensual que está a punto de explotar.

* Si la mujer sueña que la untan con aceite, indica que es objeto de admiración. Es un signo muy evidente de que es deseada sexualmente y recibe proposiciones en ese campo.

* Soñar que cocinas con aceite presagia cambios positivos en tu vida, sin brusquedad. Son cambios que se darán gradualmente sin afectar tu vida.

En general, el aceite en los sueños presagia éxito, felicidad y prosperidad.

Acera

Soñar con una acera tiene significados muy directos, hay poco de simbolismo complejo en ello. Por ejemplo, soñar que subimos a una acera indica que estamos seguros de haber alcanzado una buena posición en la vida. Vemos todo desde una altura que sabemos que nos corresponde y por la que hemos luchado. Caminar sobre la acera afirma esta clase de sentimientos. En ciertas circunstancias, también revela un deseo de exhibicionismo. Si tropezamos con la acera o bajamos de ella, el significado es que la posición de que gozamos puede ser precaria y estar en peligro o es pasajera.

Acostarse

Una persona que se sueña acostada sola siente preocupación por algo. Si te sueñas acostado al aire libre, indica por un lado sensación de libertad pero también puede significar un periodo de incomodidad muy breve. Soñar que te acuestas con alguien del mismo sexo indica preocupación de que los demás hablen mal de ti. Acostarse con una persona del sexo opuesto es un signo de que se ha puesto fin a un problema.

Ninguna fuerza abatirá tus
sueños, porque ellos se nutren
con su propia luz.
Se alimentan de su propia
pasión.

Atahualpa Yupanqui

Realmente
soy un
soñador práctico;
mis sueños no son
bagatelas en el aire.
Lo que yo quiero es
convertir mis sueños
en realidad.

Mahatma Gandhi

Acreedor

Soñar con un acreedor, en la forma que sea, es un mal presagio. Indica malas noticias.

Acróbata

Si en un sueño alguien se ve obligado a hacer alguna acrobacia y la realiza bien, significa que superará una situación difícil. Si la acrobacia no se completa o no se realiza bien, indica fracaso y pérdidas económicas.

Actor

Soñar que uno es actor indica exhibicionismo o deseos de sobresalir. En menor medida, y dependiendo del contexto en que se vive, puede significar el deseo de escapar a la propia vida y construirse una nueva.

Insatisfacción por la vida propia. Si sueñas que ves a alguien actuar, indica tu deseo de llevar una vida ligera y sin responsabilidades.

Acuarela

Soñar una acuarela, sobre todo si los colores son agradables, indican carácter para soportar momentos de mucha agitación. Serenidad en medio de la tormenta.

Acuario

Soñar con un acuario vacío indica soledad y fuertes deseos de compartir la vida con otra persona. Temor al aislamiento social. Soñar con peces nadando dentro del acuario indica satisfacción, una vida interior serena y tranquila. También es un presagio de felicidad futura.

> **Los que sueñan de día son conscientes de muchas cosas que escapan a los que sueñan sólo de noche.** *Edgar Allan Poe*

Acumular

En este sueño, los signos son totalmente contrarios a lo que se sueña. Si sueñas que acumulas dinero, indica que perderás posesiones materiales. También es un signo de que estás perdiendo el afecto de la gente que te quiere, por tacañería o falta de sensibilidad ante sus necesidades. Si sueñas que acumulas propiedades u objetos de valor significa que te estás protegiendo de alguien que trata de timarte. Fraudes, desengaños y conspiraciones.

Acusar

Si sueñas que acusas a alguien, sospechas de las buenas intenciones de esa persona. Por el contrario, si el acusado eres tú, es un buen presagio que indica que vendrán tiempos de felicidad.

Adelgazar

Alerta. Es un sueño que indica que estás descuidando tu salud. Si te sueñas mirándote al espejo y te adviertes más delgado de lo que en realidad eres, significa que no estás contento con tu apariencia pero no estás realizando las acciones correctas para corregir tus defectos.

Ten cuidado con tus sueños: son las sirenas de las almas. Ellas cantan. Nos llaman. Las seguimos y jamás retornamos.
Gustave Flaubert

Adiós

Es un sueño con significado contrario a lo que se sueña. Si sueñas que una persona se despide de ti, indica que dejarás atrás a una persona o una situación que no te hace ningún bien. Si te sueñas despidiendo a alguien, significa que la verás muy pronto. Si al despedirte de alguien sueñas que lloras, te esperan alegrías y felicidad.

Adivinar

Soñar que consultas a un adivino indica que estás preocupado por algo. También presagia una temporada de pesares. Si sueñas que alguien te consulta para que adivines algo de su futuro, significa que esa persona te ayudará en el futuro.

Aduana

Si sueñas que estás ante una aduana y no puedes pasarla, esto indica que surgirán obstáculos en tus actividades. Si atraviesas la aduana sin dificultad, es un presagio de que tus negocios se verán favorecidos con la suerte.

Adular

Las adulaciones en los sueños indican falta de sinceridad. Si te sueñas adulando a alguien, significa que te respeta pero también temes que te desprecie. Si alguien te adula, en tu fuero interno desconfías de esa persona.

Soñar que se adula con sinceridad a otra persona, por el contrario, indica que hay buena voluntad de ambas partes y lograrán acuerdos beneficiosos.

Adulterio

Soñar con adulterio tiene significados muy claros y directos en términos generales. Si sueñas que tu esposa te engaña, indica que sospechas de ella. También puede significar que sientes que ella no te valora en el terreno sexual o que ha perdido la admiración que sentía por ti. Si tú eres el adúltero, el significado es que estás reprimiendo tus deseos sexuales por otra persona distinta a su pareja. También, de manera paralela, puede ser un presagio de que estás por realizar actividades no sexuales pero que no son totalmente legales. Soñar con adulterio, en general, indica una baja autoestima, temor de ser abandonado, dudas acerca de la relación y peligro de caer en actividades ilegales.

Si alguien te propone cometer adulterio y te niegas, significa que superarás tus pudores y podrás expresar tu sexualidad de manera saludable. Si sueñas que tu pareja rechaza el adulterio, indica una pronta mejora de la relación.

El significado menos grave de soñar con un adulterio consumado es que existe un disgusto oculto contra tu pareja. El significado más grave de soñar con un adulterio consumado por cualquiera de ambas partes es la existencia de problemas conyugales y próximo divorcio.

Aeropuerto

Soñar que estás en un aeropuerto lleno de gente indica confusión, sofoco, que se traduce en deseos de movimiento y libertad. Un negocio que estás llevando a cabo o a punto de consumar no te convence y te sientes comprometido a llevarlo a cabo a pesar de ti. El aeropuerto en sí mismo significa impulso de alejarse, de tomar un rumbo distinto en tu vida. Si sueñas que subes a un avión, indica fuertes deseos de nuevos horizontes, un gran impulso por cumplir metas muy ambiciosas. Si sueñas que pierdes el

avión, el inconsciente te indica que estás dejando ir una gran oportunidad, pero que aún no está perdida. Debes esforzarte por descubrirla y hacerla realidad.

Un aeropuerto vacío significa retraso o aplazamiento. Más específicamente, sugiere que debes tomarte un poco de tiempo para pensar mejor acerca de cosas importantes que estás a punto de llevar a cabo. También indica estados de ánimo negativos, tristeza y desolación, sensación de aislamiento.

En general, soñar con un aeropuerto sugiere novedades en tu vida, un aviso de que tal vez debes cambiar de ideas, de lugar de residencia e incluso de pareja o empleo. En un sentido menos drástico, sugiere la necesidad de tomarse unas vacaciones.

Afeitar

Soñar que te afeitas indica sensación de peligro difícil de detectar. Debes estar muy atento. También sugiere conspiraciones en tu contra, sobre todo de grupos cercanos a ti, pueden ser socios de trabajo, amigos o familiares.

Otro sentido de este sueño es muy diferente, pues si sueñas que el afeitado es suave, agradable mientras te admiras al espejo, indica un fuerte sentimiento de seguridad que linda con el exhibicionismo.

Agonía

Soñar con sensaciones de agonía tiene sentidos contrarios. Por ejemplo, si tienes un sueño así mientras estás enfermo, el presagio es que sanarás muy pronto. En cambio, si tienes salud y sueñas con agonía, el significado es que debes cuidar tu salud. Algo la amenaza.

Agotamiento

Soñar con agotamiento físico o mental indica claramente un reflejo en el sueño de un agotamiento real. Debes descansar más. En un sentido más simbólico, soñarte agotado revela que tu inconsciente se está dando por vencido ante algún trabajo o compromiso. El significado general indica que fracasarás en tus intentos.

Agradecimiento

Soñar con agradecimientos tiene un significado muy semejante a soñar con adulaciones pero en un sentido más positivo. Si sueñas que te agradecen, indica una relación positiva con esa persona, pero si es alguien con quien no tienes buenas relaciones, indica que tratará de sorprenderte con una actitud sumisa y obsequiosa. Ponte a la defensiva. Si sueñas que agradeces a alguien, indica una buena relación, lazos de amistad genuinos y profundos.

Agua

El agua, como elemento de un sueño, es uno de los símbolos oníricos más complejos. En sentido negativo, su ausencia provoca la muerte, y su abundancia destrucción y desolación. En sentido positivo, refresca, vivifica y da vida. Por lo tanto, su interpretación depende fuertemente del contexto. Puede aparecer en forma de lluvia, mar, lago, río, en un grifo, regadera, como inundación, en un vaso, etcétera. En general, soñar con agua representa el subconsciente e indica una vida rica, creativa, plena y sensible. Los significados concretos, a menudo contradicen este simbolismo positivo. Comenzaremos con los significados más directos. Soñar agua en una regadera o en una tina representa higiene, pero también deseos de purificación por un acto que

> Sea lo que sea que sueñes, o sueñes que puedas, comiénzalo. El atrevimiento posee genio, poder y magia. Comiénzalo ahora. *Johannes W. Goethe*

nos hizo sentir sucios. En este sentido significa deseos de renovación. Soñar que te deslizas sobre el agua en una barca indica una conciencia tranquila, pero si el agua provoca un oleaje muy fuerte, indica que estás involucrado en problemas. Si estás dentro de la barca con otras personas, las dificultades afectan a todos los que se enfrentan al mar embravecido. Si estás solo, seguramente te sientes aislado y sin apoyo de nadie. Deberás enfrentar y salir solo de tus problemas.

Sueños específicos:
* Soñar con aguas tranquilas y cristalinas anuncia un periodo de paz y tranquilidad.
* Soñar que riegas el pasto o las plantas indica tu deseo de escapar de la soledad, de salir del círculo familiar de amistades, de formar una nueva red social. En general, indica un fuerte deseo de socializar.
* Soñar con aguas oscuras y agitadas revela emocio-

nes negativas. No tienes paz interior. Problemas familiares de difícil solución o actividades laborales incómodas. Enojo reprimido contra compañeros de trabajo o amistades.
* Soñar con agua sucia representa tu yo interior. Problemas morales que resolviste mal y te aqueja el remordimiento.
* Soñar que te mojas durante la lluvia indica que pronto conocerás secretos que desconocías.
* Soñar que ves un mar agitado te augura que se aproxima una temporada de pesares o dificultades muy grandes.
* Soñar con agua estancada y maloliente indica que alguna persona querida está pensando en traicionarte.
* Soñar que te hundes en el agua indica que estás abrumado por problemas de diversa índole, cuya solución depende de una acción pronta.
* Soñar que te ahogas es un aviso de que debes olvidar las cosas que no tienen solución. Preocupaciones por problemas

que se te escaparon y te dejaron exhausto ya sea física o emocionalmente. Deja atrás lo que ya pasó y busca la paz interior.

* Soñar que caminas sobre las aguas es un símbolo con dos significados muy diferentes. Uno de ellos indica que te sientes invulnerable y superior a los demás. Son emociones que tarde o temprano te causarán dificultades. El otro significado, más positivo, indica que podrás superar con facilidad las contrariedades que se presenten en tu vida en ese periodo preciso.

* Soñar que contemplas un aguacero indica que viene un periodo de buena suerte y te augura éxito financiero.

Aguinaldo

Soñar que recibes un aguinaldo puede tener un doble significado dependiendo del periodo por el que atraviesas en tu vida. Si tienes una existencia tranquila, soñar con un aguinaldo te augura una nueva promoción laboral, reconocimiento y premios. Pero también es de mal augurio, pues en el caso de que no pases por un buen momento, te indica ingratitud de quien menos la esperas.

Águila

Soñar con un águila volando o posada sobre una montaña indica claramente ambiciones muy poderosas. El simbolismo de este sueño es muy evidente: tú eres el águila, te sientes poderoso y confiado en alcanzar grandes alturas. Sin duda, estás atravesando por un periodo de visiones muy valiosas que te atraerán

El sueño y la esperanza son dos calmantes que la naturaleza concede al hombre.

poder y riqueza. Es el momento de asociarte con personas que antes te parecían inalcanzables o que te hacían sentirte empequeñecido. El águila en vuelo no sólo representa la libertad sino también la prosperidad.

Sin embargo, si sueñas que alguien mata a un águila representa obstáculos para conseguir tus sueños. Envidias a tu alrededor. Probablemente hay quienes desearían arrebatarte lo que es tuyo.

Si sueñas que matas un águila significa que estás obstruyendo tu camino al éxito. Es necesario que reflexiones y retomes el buen camino. También te augura una mala temporada en tus negocios.

Las águilas son aves solitarias que casi nunca cazan en grupo. Si sueñas con el vuelo de varias águilas, el augurio también es bueno, pues indica que algunas personas poderosas confían en ti y están dispuestas a apoyarte.

El significado general, sin embargo, es muy positivo y te indica que estás en tu mejor momento. Lucidez, penetración y agudeza. Audacia para emprender nuevos negocios.

Agujas

El significado del sueño depende del tipo de agujas que aparezcan en él.

Si son agujas de tejer, revelan chismes que se cuentan de ti a tus espaldas y te enterarás pronto de ellos.

Si son agujas de coser con hilo, representan un buen augurio.

Si sueñas que intentas enhebrar la aguja y te cuesta trabajo, indica un problema a resolver mediante la reflexión y no mediante la acción. En este momento, pensar es mejor que actuar.

Picarse un dedo con una aguja revela preocupación por seres queridos que necesitan de tu ayuda.

Pero si te pinchas con un alfiler, el sueño te alerta que sufrirás una decepción de amistades a quienes creías confiables.

Soñar que pierdes una aguja significa que te encuentras perdido o has descuidado tus compromisos sociales.

Agujero

Soñar con un agujero indica que se te está abriendo un camino que todavía no ves claramente. También indica que hay aspectos de tu personalidad que desconoces y que necesitas meditar

acerca de ellos. Este tipo de sueño también muestra que sientes un vacío en tu vida que necesitas llenar. Si sueñas que estás cavando un agujero, expresa tu deseo de hurgar en ti mismo para conocerte mejor. Soñar que caes en un agujero te presagia una temporada corta de malos momentos en los negocios por los que no hay que preocuparse demasiado, pues pasarán pronto. Si te asomas a un agujero y puedes ver el fondo, sugiere capacidad para ver los problemas con claridad. Los consejos que des serán útiles y muy precisos.

Ahogado

Soñar que te ahogas es, generalmente, un aviso del subconsciente acerca de tu estado de ánimo. Te sientes falto de identidad y sin autoestima. Normalmente se tiene esta clase de sueños cuando se sufre una pérdida de un ser querido o se experimenta una separación. En general, una situación de sufrimiento que debes esforzarte por superar, pues ya no hay nada que hacer. Ver a otra persona ahogarse indica tu impotencia por ayudar o dar apoyo emocional a la persona que se ahoga.

También puede ser una advertencia de tu cuerpo, que te indica agotamiento y necesidad de tomarse las cosas con calma o unas vacaciones.

Ahorcado

Soñar con un ahorcado presagia pérdida de dinero o de afectos. Si tú eres el ahorcado, el sueño indica que tendrás prosperidad pero sufrirás envidias muy fuertes. Soñar que ahorcas a alguien, sugiere que tus habilidades sociales están en su peor punto. Tu personalidad está siendo juzgada como peligrosa, negativa o conflictiva.

Aire

Soñar con aire en forma de brisa suave pronostica una época tranquila. Si además tiene un aroma agradable o perfumado, es presagio de éxitos y de reconciliación con seres queridos o incluso enemigos. En general, es un signo de recuperación, ya sea de fortuna, salud o afectos. Pero si el aire levanta una polvareda o está sucio o maloliente es una indicación de que debes esperar a mejores tiempos para llevar a cabo tus planes. Debes aplazar decisiones importantes por el momento. El viento frío significa pérdida, sobre todo en el campo social por causa de malentendidos. Conflictos en el hogar o deseos de venganza.

Ajedrez

Revela un carácter calculador y ambicioso en el peor sentido. Tus negocios se verán afectados por causa de tu personalidad. Puedes salirte con la tuya, pero a costa de perder cosas más importantes que lo que has ganado. También indica un carácter demasiado prudente y provisorio. El subconsciente te está indicando que debes ser más espontáneo.

Ajo

Soñar que comes ajo indica que tu salud está siendo muy descuidada, lo mismo que tu vida social. Te anuncia un periodo de mal humor en el que se verán afectadas tus amistades. También indica remordimiento por haber actuado mal con sus seres queridos. Soñar que cocinas con ajo indica que pronto recibirás una noticia preocupante. En términos generales, soñar que comes ajo indica inseguridad, temor a ser rechazado socialmente o por una persona concreta a la que deseas acercarte. Debes adoptar una visión más práctica y menos idealista de la vida.

Soñar que estás arrancando ajos te presagia peleas familiares.

Un significado especial: si una mujer sueña que come ajos, es signo de avaricia, ambición. Es muy probable que busque pareja por intereses económicos más que sentimentales.

Alabanzas

Indica un deseo de sobresalir en un campo en el que no te desempeñas y para el cual no tienes cualidades. Las alabanzas recibidas en sueños tienen un significado contrario. Si sueñas que te hacen alabanzas, debes estar a la defensiva y no creer lo que dicen de ti, pues no son sinceras.

Alba

En el sentido de amanecer, como el comienzo de un nuevo día, anuncia la renovación de las esperanzas. Inicios de cosas buenas por venir. Felicidad en el horizonte próximo.

Álbum

Un álbum familiar siempre tiene un significado de recuerdos que permanecían ocultos o perdidos. En general significa que te has reconciliado con el pasado y estás en paz. También tiene el significado de finalizar una etapa en tu vida y el comienzo de otra.

Alcohol

Soñar con una botella de bebida alcoholica indica falta de lealtad. Tus allegados pueden estar engañándote respecto a un asunto importante para ti. Si sueñas que bebes, pero no te emborrachas, sugiere un control muy adecuado de tus emociones y de tu forma de actuar socialmente. En cambio, si sueñas que te embriagas, revela tu temor de hacer el ridículo ante una situación determinada. Exhibicionismo y falta de control. Debes revisar tu forma de ser. El sueño te está indicando que tal vez te pones en evidencia ante los demás frecuentemente.

Alegría

La alegría es un signo positivo, pero debes tener cuidado, porque también puede ser un sueño de signo contrario que te avisa de situaciones que debes enfrentar con buen ánimo,

sin decaer ni darte por vencido. Puedes sufrir algunas inquietudes pasajeras cuya resolución te traerá un periodo de felicidad.

Alergia

Es un presagio de sentido doble. Por un lado nos indica posibles problemas de salud que no se están atendiendo adecuadamente. Por otro lado, presagia temporadas de buena suerte y momentos felices en el seno familiar.

Alfabeto

Soñar con el alfabeto es un presagio positivo. Recibirás noticias o te anunciarán algo que te alegrará. Sin embargo, soñar con un alfabeto desconocido o de otro idioma revela un misterio que debes resolver. La clave se encuentra en el alfabeto en su conjunto, en alguna letra que sobresalga de manera especial o en el idioma en el que lo hayas soñado. Deliberaciones mentales intensas.

Alfiler

Discordias con familiares o amistades muy cercanas. Decepciones inevitables que se te revelarán en la conducta de amigos en los que confías. Puede ser también un anuncio de riesgos económicos.

Alfombra

Soñar con una alfombra es un presagio muy positivo. Anuncia prosperidad, riqueza y bienestar. Caminar sobre la alfombra sugiere que el trabajo que has elegido te dará muchas satisfacciones materiales. Sin embargo, hay un sentido controvertido: soñar con una alfombra extendida en un lugar extraño (por ejemplo en la pared, el techo o en la calle) indica que estás dispuesto a alcanzar la prosperidad por medios ilegítimos.

Alien

Soñar con un alien o un extraterrestre revela que eres una persona creativa que no ha explorado ni explotado adecuadamente esa capacidad. Sugiere que debes aplicar soluciones ingeniosas y muy personales a los problemas que enfrentas. También indica una sensibilidad muy desarrollada que te impide adaptarte a nuevas personas y nuevos ambientes. Dificultad para socializar.

Soñar que eres un alien revela que tienes una personalidad original pero demasiado egoísta. No admites las razones de los demás y sólo deseas que prevalezca

> La interpretación del sueño es la vía regia hacia el conocimiento de lo inconsciente.
> *Sigmund Freud*

tu opinión. Aislamiento como resultado de creer demasiado en ti mismo y menospreciar a los demás. Sentido de superioridad muy desarrollado. También te revela que en ocasiones te obstinas en aplicar soluciones demasiado alejadas de la realidad o de tus propios alcances.

Soñar que un extraterrestre te captura indica que la segu-

ridad y la singularidad son ficticias. Tu deseo de ser superior a los demás oculta un temor de ser rechazado por tu círculo más íntimo.

Alma

Soñar con un alma en pena sugiere preocupaciones, pobreza y temor a morir. Ver un alma subiendo al cielo indica un estado espiritual purificado. Soñar con tu propia alma saliendo de tu cuerpo significa que estás perdiendo el sentido de tu propia identidad, sientes que asumes una personalidad que no es la tuya. En general, es una advertencia de que debes hacer una introspección de tu persona para rescatar lo que es legítimo y sincero y descartar o eliminar la insinceridad. Asumirte tal como eres.

Almohada

Soñar con una almohada sugiere necesidad de descanso físico. Si te recuestas sobre ella cómodamente, significa que puedes tomar un tiempo para dedicarlo a cuidarte sin temor a sufrir alguna contrariedad durante la ausencia de tu trabajo. Si no logras acomodarte, o la almohada está sucia o dura significa que tendrás que luchar para lograr tus deseos. Soñar una almohada rota es presagio de tristezas.

Alondra

Una alondra en vuelo es anuncio de buena fortuna y de un periodo de tranquilidad financiera. Una alondra que desciende hacia ti anuncia que no se cumplirá alguno de tus deseos. Fin de las esperanzas. Una alondra caminando en el piso es una clara advertencia de prudencia. Algo te amenaza.

Altar

Soñar con el altar de una iglesia indica necesidades espirituales no satisfechas. Deseo de conectar con la parte más pura de tu interior. Soñar con un altar de sacrificios sugiere también necesidad de pureza interior, pero acompañada de grandes esfuerzos.

Altercado

Soñar con un altercado refleja directamente estados de ánimo fluctuantes. Emociones negativas. Decisiones equivocadas.

Altura

Soñar con las alturas es un

sueño de presagios muy positivos. Ya sea que te eleves o que veas hacia una gran altura indica directamente el éxito que alcanzarás en tus empresas. Mientras mayor sea la altura, más beneficios obtendrás.

Amamantar

Un sueño muy directo que anuncia una próxima maternidad casi segura. Viene un periodo de sensaciones agradables.

Amanecer

Soñar con un amanecer es un signo de que el periodo de penas y sufrimientos ha terminado. Los conflictos han quedado atrás y comienza un periodo nuevo lleno de presagios positivos. Optimismo y renovación. Si el amanecer está lleno de aire fresco y colores suaves, indica una gran dicha.

Amante

Soñar con un amante desconocido indica un próximo romance. Soñar con un amante conocido al que te da gusto ver,

es un signo de tranquilidad de conciencia. Si verlo te produce disgusto, presagia engaños y traiciones y, al mismo tiempo, sugiere que te costará trabajo encontrar un nuevo amor.

Amapola

Soñar con un campo de amapolas indica remordimiento por una mala acción. Soñar con una sola amapola significa que se aproxima un periodo de consuelo del sufrimiento corporal y del alma.

Ambulancia

Soñar con una ambulancia contiene un significado de profunda compasión. También revela angustia por sucesos que no te tocan directamente pero te afectan de algún modo. Por ejemplo, el dolor de un grupo amenazado, la inundación de un pueblo o un huracán, etcétera, que son eventos que alteran tu estado emocional. Soñar que algún ser querido es llevado por una ambulancia indica que sientes que se cierne un inminente peligro sobre esa persona.

Amenazas

Soñar con amenazas indica riesgos de peleas por causa de rencores o resentimientos. En un sentido más general, suele soñarse con amenazas poco concretas. El soñador siente que algo lo amenaza sin saber qué es exactamente. Este sueño refleja el temor de enfrentar problemas en algún área de tu vida. Soñar con un ambiente amenazante es una señal de que no deseas reconocer que estás corriendo algún riesgo.

Ametralladora

Soñar con una ametralladora indica un interior turbulento. Sientes enojo contra alguna persona o situación y, si no controlas tus emociones, se resolverán en violencia. Soñar con disparar una ametralladora puede indicar por un lado que las emociones negativas están a punto de desbordarte, pero por otro lado también tiene el significado de que sientes una alegría explosiva por un logro que te costó mucho alcanzar. Si tratas de disparar y la ametralla-

dora no funciona, significa que a pesar de todos tus esfuerzos, no lograrás éxito en la empresa que te propones.

Amigo

Soñar con amistad verdadera es un símbolo muy positivo que te augura cosas buenas en todos los aspectos. Sin embargo, el significado es tan amplio simbólicamente como lo es el término "amistad", por lo que conviene explorar los distintos significados que puede tener.

Sueños específicos:
* Soñar con amigos de la infancia indica añoranza del pasado y deseo de evadir las responsabilidades actuales. Te pesan las preocupaciones adultas y deseas volver a la infancia.
* Otro significado de soñar con amistades de la infancia puede ser una señal de que estás comportándote de manera infantil y es un aviso de que debes madurar.
* Soñar con un amigo del presente puede tener un significado de conocimiento personal. Debes preguntarte qué te enseña la

amistad con esa persona. Qué te da y qué recibe ella a su vez.

* Soñar con la muerte de un amigo revela de manera muy directa que lo que está muriendo es la amistad con él.

* Soñar con un amigo que ya murió indica una preocupación por algo que dejó sin resolver en esa amistad, pero también que le ha sido otorgado el perdón y que vela por ti.

* Soñar que peleas con un amigo es un anuncio de problemas de salud.

* Soñar que haces amistades nuevas es una premonición de buena suerte.

* Soñar que un amigo está enfermo o en desgracia indica que necesita de tu ayuda. También te señala la necesidad de acercarte a ese amigo con el que estás distanciado por causa de un malentendido. El momento es propicio para la reconciliación.

* Soñar que ves a un amigo o él te ve a ti con gesto triste indica que pronto se romperá la amistad.

Amor

Soñar con el amor y que estás enamorado puede reflejar un estado de amor en tu relación actual. También representa tu felicidad y tu satisfacción con la vida. Por el contrario, soñar con el amor puede significar que te falta el cariño en la vida real. Soñar con una pareja de enamorados significa que  pronto tendrás mucho éxito. Soñar con el amor en general, hacia algún objeto, significa que eres feliz con tu vida y con todo lo que te rodea.

Sueños específicos:
* Soñar con el amor, en abstracto, puede significar que te falta el cariño en la vida real.
* Soñar con una pareja de enamorados, significa que pronto tendrás mucho éxito.
* Soñar que los demás sienten amor y eso te hace feliz, es premonición de la suerte que tendrás en tus asuntos, y te hará sentir satisfacción y libertad ante la ansiedad que te produce tu vida.
* Soñar que ves cómo una pareja se ama, trae suerte.
* Soñar que dejas de querer a alguien o que su amor no es recíproco, significa que te sentirás abatido con algunos asuntos que te ponen nervioso y decidirás que es mejor cambiar de forma de vida y de relaciones.
* Soñar que tu pareja está enamorada, significa mucha felicidad para ambos y tener hijos juntos les llevará al clímax de amor familiar.
* Soñar con el amor de los padres significa honradez y recti-

tud en tu carácter, con un futuro magnífico de conseguir una alta posición social y dinero.
* Soñar con el amor que sientes por los animales significa satisfacción con todo lo que posees y todo lo que has conseguido en esta vida. Sientes que no tienes que preocuparte por nada y con el tiempo tu fortuna irá creciendo.
* Soñar que tu amigo está enamorado de ti significa que seguramente se te cumplirá un deseo. Puede que hayas desarrollado sentimientos especiales hacia tu mejor amigo y te preguntes qué siente él por ti. Esta incógnita te preocupa y hace que una vez dormida, le des vuelta a los sentimientos de tu amigo hacia ti, con lo que tu subconsciente responde a lo que te preguntas.
* Soñar con un antiguo amor significa que todavía tienes una asignatura pendiente con él y que tu actual relación debe estar resintiéndose por esa causa.
* Soñar que estás haciendo el amor en público o en diferentes lugares, significa que estás insatisfecho sexualmente. También puede significar que debes ex-

presar más a menudo y más libremente tus sentimientos. Representa la forma que tienes de percibir el sexo, mediante las normas sociales establecidas.

Amputar

Soñar con amputaciones advierte sobre peligro de enfermedades graves. La pérdida de algún miembro del cuerpo significa aviso de la posible pérdida de un ser querido. También advierte de una situación crítica que debes enfrentar y resolver de inmediato. En términos generales, indica la necesidad imperiosa de actuar de manera pronta y sin dilación frente a las emergencias que surjan en esta etapa de su vida.

Amuleto

La posesión de un amuleto indica inseguridad, timidez, temor de actuar y fallar. Deseo de evadirte de tus responsabilidades. Cargas pesadas que superan tus fuerzas.

Anciano

Soñar con un anciano indica directamente el miedo a la vejez. Sensaciones de desamparo en tu vida actual, pérdida de energía. Temes que tus compañeros de trabajo o tus socios te superen y te dejen en una situación difícil. En otro sentido, soñar con un anciano de aspecto agradable indica deseo de una vida sencilla y sin complicaciones.

Andar

Soñar que caminas hacia delante, aun si no sabes en qué dirección o hacia dónde vas, indica una fuerte voluntad de enfrentar todo lo que la vida te oponga. Valor y persistencia.

Ángel

Si sueñas con ángeles y tienes la conciencia tranquila, puede ser que intentan darte un mensaje importante, pueden aportar espiritualidad, alegría y paz a tu vida. Si tienes dudas, puede ser que te estén recordando que es hora de reflexionar sobre tus decisiones y acciones. Si sueñas con tres ángeles, esto tiene un significado espiritual: procura escuchar su mensaje. Los ángeles son guías o mensajeros. Es muy probable que este sueño te revele información que está dentro de ti pero no estás consciente de ello.

Anillo

Soñar con un anillo, en general, conlleva un significado simbólico relacionado con tu pareja. Es una indicación del compromiso que sientes por ella, la lealtad a los ideales comunes, el nivel de responsabilidad que sientes por ella, afinidades, etcétera, dependiendo del contexto del sueño.

Sueños específicos:
* Soñar con un anillo de compromiso indica matrimonio o deseos de casarse.
* Soñar con un anillo que no te calza bien, ya sea que te quede flojo o apretado, indica un malestar en la relación que te está incomodando y que debes resolver.
* Soñar que pierdes un anillo indica sensación de inseguridad, temor a la pérdida o separación. Si eres mujer, tu sueño te indica sospechas de infidelidad.
* Soñar que te roban un anillo sugiere desconfianza, y al mismo tiempo la certeza de que alguien a quien conoces quiere robarte el afecto de tu pareja.
* Soñar que el anillo se rompe sugiere el temor de que tu pareja esté metida en problemas, incluso en peligros que pongan en riesgo su vida.

* Soñar que acaricias el anillo con los dedos y le das vueltas nerviosamente, indica próximas decepciones, inquietud respecto al amor que dicen tenerte. Temes que tu pareja no sea sincera.
* Soñar que colocas un anillo en el dedo de una persona, significa el deseo que tienes de poseerla.
* Soñar que te colocas dentro de un anillo, sugiere la sensación de seguridad y protección que sientes al lado de tu pareja.

Animales

Soñar con animales representa nuestro comportamiento más elemental y salvaje. Sin embargo, dependiendo del contexto, no es un sueño con malos presagios, sólo indica el predominio del sentimiento o instinto por encima de la razón, la parte primitiva de nuestra personalidad. Por otra parte, los animales domésticos en los sueños representan la vida doméstica, todo lo relacionado con la familia y el hogar, con el entorno conocido y los sentimientos que albergas hacia estos elementos.

Sueños específicos:
* Soñar que eres perseguido por uno o varios animales es un presagio de peligros, problemas o peleas.
* Soñar que eres atacado por un animal indica que sientes dificultad para alcanzar tus metas, obstáculos que sientes insalvables. Si el animal te muerde o te hace algún daño físico, indica que no

Los sueños no sólo sirven para proteger el dormir. Sirven también, a veces, para interrumpirlo, cuando su función lo requiere. Por ejemplo, cuando tiene una importancia vital para la orientación de la conciencia.

Carl Jung

estás preparado para llegar a las metas que te has propuesto.

* Soñar que alimentas a un animal indica que te sientes bien contigo mismo, estás convencido de que actúas correctamente y eso te dará prosperidad y éxito financiero. Pero si el animal al que alimentas está lesionado o muy flaco significa pobreza y augurio de tiempos difíciles.

* Soñar que golpeas o matas a un animal es un augurio de mala suerte, tristezas y decepciones.

* Soñar que luchas cuerpo a cuerpo contra un animal sugiere que hay un aspecto de tu personalidad que los demás rechazan pero no puedes controlar.

Aniversario

Bienestar familiar. Los aniversarios, incluso los que conmemoran la muerte de alguien, indican buenos augurios. Por ejemplo, soñar con el aniversario de nacimiento o muerte de una persona significa paz y reconciliación con ella; un aniversario de bodas o de cumpleaños significa plenitud y felicidad, es un anuncio de que las peleas y los malentendidos han quedado atrás.

Ansiedad

Soñar que sientes ansiedad tiene relación con tus preocupaciones actuales. Puede representar la diferencia entre como vives y como quisieras vivir. Puede reflejar una ansiedad en tu vida real. Posiblemente estás consciente de tu estado ansioso, o puede ser que tu sufrimiento esté reprimido en tu ser interior. En ambas hipótesis deberías tomar tiempo para analizar tus emociones.

Soñar con este tipo de premoniciones muestra que luego de unos momentos de amenaza, llega la renovación y éxito en la mente; pero si el que sueña es ansioso debido a ciertos negocios o asuntos, significa que deberá preocuparse por temas sociales y laborales.

Soñar que estás sintiendo ansiedad, representa algo que probablemente sentirás a lo largo de tu vida. Debes representar las ideas, los sentimientos reprimidos, los resentimientos y la hostilidad que están desencadenando tu sueño ansioso. Este sueño también significa que estás mezclando peligrosamente el amor con el trabajo.

Antena

Soñar con una antena indica que pronto te llegarán buenas noticias o se te ocurrirán ideas insospechadas para resolver algunas dificultades que se te presentan. Una antena en el techo en buen estado indica sensación de seguridad y protección, creatividad y buenos deseos de los demás hacia ti, así como buenas intenciones de tu parte para con los demás. Pero si la antena está rota, dañada o defectuosa, indica quebrantos, malentendidos y peleas por causa de una mala comunicación.

Anteojos

Soñar con anteojos significa revelación y descubrimiento. Es muy

probable que éste sea uno de los sueños que indican con más claridad la sensación de madurez que estás experimentando. Desarrollo de cualidades y aprendizaje sobre cómo manejar tus defectos. Si sueñas con anteojos empañados indica indecisión. Y si están rotos es presagio de una ruptura sentimental.

Antorcha

Soñar con una antorcha representa control sobre situaciones de cierto riesgo. La intensidad del fuego indica un significado más claro: si el fuego es fuerte y no lo disminuye el viento, indica tu fuerza interior, alegría y vitalidad. Si el fuego de la antorcha se apaga, sugiere debilidad y problemas a afrontar.

Anuncios

Soñar que lees un anuncio en un periódico es un presagio de que recibirás noticias o realizarás un descubrimiento. En cambio, si eres tú quien publica o redacta un anuncio es un presagio de que serás portador de noticias importantes, sea en sentido positivo o negativo. Igualmente, puede indicar que tu propia situación o posición está por experimentar cambios importantes.

Aparición

Advertencia de que te asegures de que tus seres queridos estén bien. También indica que estás cerca de alcanzar tus deseos.

Apartamento

El soñar con un apartamento pequeño y descuidado indica problemas familiares que se resolverán si pones lo mejor de tu parte. Debes cuidar de proteger tus intereses, hay algo que los amenaza. Soñar con un apartamento grande, limpio y luminoso indica el presagio opuesto. Tu situación financiera se verá beneficiada. Saldrás de algunos apuros con ayuda de gente que te ayudará materialmente o con un valioso apoyo emocional que te dará la fuerza que necesitas.

Aplauso

Necesidad de reconocimiento. Complejos de inferioridad que tratas de compensar con delirios de grandeza. Desconfía de los halagos, que no serán sinceros.

Apuesta

Soñar con una apuesta es un presagio de pérdida. Estás por fracasar en algún negocio en el que perderás dinero o sufrirás un rompimiento amoroso por causas infantiles.

Araña

Soñar con una araña tiene, en

términos generales, significados muy directos. La araña en un sueño representa laboriosidad, paciencia, logros a largo plazo en base a esfuerzo y empeño. Dinero y felicidad al final de la meta.

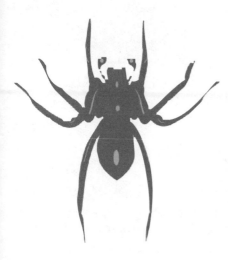

Sueños específicos:
* Soñar con la tela de una araña es un presagio de protección, un periodo de buena suerte que se extenderá durante un largo tiempo.
* Soñar con una araña muy grande es un presagio de prosperidad. Mientras más grande sea la araña, más dinero ganarás.
* Soñar con muchas arañas colgando del techo o trabajando en fabricar su tela indica no sólo riqueza para ti sino para toda la gente que intervenga en tus negocios.
* El único mal presagio es si en el sueño te pica una araña, pues eso anuncia conflictos, problemas y peleas en uno o todos los ámbitos de tu vida familiar, amorosa o de negocios. Dificultades legales.
* Si una mujer sueña una tarántula, es presagio de que le irá mal en asuntos amorosos pero se recuperará con facilidad.

Árbol

Soñar con un árbol tiene profundos significados simbólicos relacionados con la familia. Las ramas representan vínculos familiares, las raíces señalan la solidez de la estabilidad familiar. Un árbol sano y frondoso sugiere armonía familiar, una vida serena y satisfecha, además de protección por parte de los distintos miembros de la familia. Un árbol seco o mecido por un viento violento significa lo opuesto: problemas familiares.

Arco iris

Un sueño con significado controvertido. En general anuncia problemas y conflictos laborales o de negocios que al final se resolverán a tu favor y te dejarán en mejor posición que antes.

Ardilla

Soñar con ardillas es un buen presagio acerca de cambios sociales. Significa que harás nuevas amistades, sinceras, leales y duraderas.

Aretes

Soñar con aretes significa coqueteo, roce social amoroso. Para una mujer, indica una aventura amorosa plena y duradera. También sugiere una corta racha de buena suerte en los juegos de azar.

Arma

Soñar con armas indica tu temor de ser asaltado o herido. Sugiere estados emocionales inestables a causa de la sensación de vulnerabilidad e inseguridad. Pasas

por problemas cuyo control no depende totalmente de ti. También indica un deseo oculto de responder con violencia. Sentimientos de agresividad propiciados por tu deseo de sentirte protegido.

Soñar con armas de fuego predice periodos tormentosos y graves dificultades.

Soñar con armas blancas indica traición. Sientes temor de ser traicionado o remordimientos por una traición que cometiste.

Armadura

Soñar con una armadura es un indicio de fortaleza. No importa cuántos problemas debas enfrentar, tendrás la entereza de carácter necesaria para superarlos. Si sueñas que llevas puesta una armadura, significa que sospechas que te atacarán pero te sientes fuerte, en buena posición para resistir. Sin embargo, tu fuerza depende del estado en que se encuentre la armadura.

Arresto

Soñar que eres arrestado indica que te sientes incomprendido. En una relación sentimental, estás sometido a una gran tensión por causa de los celos. Si sueñas que arrestan a otra persona, sientes remordimientos hacia ella por alguna razón.

Arrodillarse

Soñar con arrodillarse tiene un significado simbólico muy directo: indica humillación. Sufrirás calumnias contra las que no te podrás defender o una mujer te engañará.

Arroz

El valor simbólico del arroz es muy positivo. Fertilidad, prosperidad, lealtad, compromiso, amistad y felicidad son conceptos ligados a este sueño. Soñar con granos de arroz, cocinado o comiendo arroz son todos sueños relacionados con buenos presagios. La única salvedad es que si sueñas con arroz sucio o duro de comer significa enfermedad.

Asalto

Soñar con ser asaltado indica una tensión emocional que intenta purificarse en el sueño. Temores, inseguridad, desamparo son sensaciones asociadas a esta clase de sueños. Soñar que asaltas a alguien indica audacia pero también remordimientos.

Ascensor

Soñar con un ascensor tiene un significado simbólico muy directo. Si

En el sueño se revela
el problema vital
de un individuo en
forma simbólica.

Alfred Adler

sueñas que sube, simboliza tu capacidad para alcanzar mayores alturas en diversos niveles, que pueden ser financieros, familiares, intelectuales. Logros de todo tipo. Si sueñas con un ascensor que baja, representa falta de esperanza, de fuerza, sentimientos de pérdida o incapacidad para alcanzar tus metas. Soñar que el ascensor está descompuesto indica falta de control sobre algún aspecto de tu vida o falta de visión. Has perdido el rumbo y sientes que no está en tus manos la solución.

Asesinato

Soñar con un asesinato está relacionado con periodos de gran tensión emocional. Estos sueños suelen producirse en personas que han sufrido una pérdida amorosa que les ha provocado mucho sufrimiento. En el sueño desahogan sus sentimientos de frustración e impotencia. También indican el fin de algo, no solamente la terminación de una relación romántica, sino el cumplimiento de una tarea que ha sido muy desgastante física o emocionalmente. Por ejemplo, un adicto en tratamiento que ha dejado las drogas, un empleado que acaba de jubilarse o ha sido despedido, etcétera. El subconsciente también advierte a las personas que tienen esta clase de sueños que están alcanzando niveles peligrosos de depresión. Si sueñas que asesinas a alguien conocido, indica un fuerte sentimiento de rechazo por esa persona, reprimido en la vigilia pero revelado por medio de este sueño. Sin embargo, también es común soñar que matas a la persona que amaste, lo que indica que ya está pasando la etapa de duelo, tu dolor se terminará y pronto estarás listo para ver la vida con optimismo.

Asfixia

Soñar que te asfixias es generalmente un sueño no simbólico. Seguramente al dormir tienes dificultades respiratorias de las que no estás consciente.

Ataque

Soñar que eres atacado tiene un claro significado simbólico de desamparo. Te sientes inseguro de tu entorno, o de tus amistades o de tu salud. Soñar que sufres un ataque al corazón indica tanto problemas de salud o preocupaciones relacionadas con ella como también falta de amor.

Ataúd

Soñar con un ataúd indica el fin de una mala época, es un sueño de buen augurio. Sin embargo, si sueñas que tu cuerpo está dentro del ataúd, indica que te sientes oprimido por alguna angustia o una situación que te aprisiona y no encuentras la forma de salir de ella. Necesidad de libertad. Ver el cuerpo de otra persona en el ataúd indica añoranza por esa persona o temor por su estado de salud.

Autobús

Soñar con un autobús significa que estás pasando por una etapa turbulenta a nivel emocional. Hay demasiado ruido a tu alrededor, los problemas te impiden ver con claridad. Sin embargo, si viajas en un autobús placenteramente y te sientes cómodo dentro de él, es un presagio de nuevos rumbos, un nuevo hori-

zonte, se abren nuevos y esperanzadores caminos.

Automóvil

Carácter superficial. Indica actitudes arrogantes y pretenciosas, exhibicionismo, deseos ilegítimos de figurar. Ansias de fama y popularidad. En la medida en que el auto que aparece en tu sueño es más lujoso, tu postura ante la vida es más egoísta. Confianza excesiva. El subconsciente te advierte que debes conducirte con más sencillez para alcanzar el bienestar y la felicidad.

Avalancha

Obstáculos insuperables. Soñar con una avalancha indica que debes buscar nuevas formas de avanzar en la persecución de tus metas. Si sueñas que una avalancha te sepulta, es un buen presagio: se acerca una racha de buena suerte.

Si la avalancha es de nieve, indica que obtendrás una vic

toria inesperada. Si es una avalancha de tierra, indica peligros que debes tener en cuenta para triunfar.

Aves

Soñar con aves volando significa deseos de libertad y un mayor espacio personal. También indica ambiciones muy altas, miras futuras que cumplirás. Observar aves en bandada es un presagio de buena suerte para ti y tus seres queridos.

Avión

Soñar que conduces un avión indica un sentimiento de satisfacción personal muy profundo. Sabes lo que deseas de la vida y lo has conseguido. Tienes un control muy adecuado de tu entorno. Soñar que caes en un avión es un anuncio de

Si no puedes vivir una vida bella, debes soñarla.

Lin Yutang

Se afirma que el inconsciente sabe más
que la conciencia, pero es un saber de tipo
esencial, un saber en la eternidad, casi
siempre sin relación con el aquí y ahora,
al margen de nuestro lenguaje racional.
Sólo cuando le damos oportunidad de
expresarse, penetra en el reino de nuestro
entendimiento y se hace perceptible a
nuestro propio aspecto. Este proceso
se repite de modo convincente en cada
análisis de un sueño que realizamos.

Carl Jung

mala suerte que se prolongará durante un tiempo. Ver un avión en el cielo en general indica cambios.

Ayuda

Es un sueño con significado opuesto. Por ejemplo, si sueñas que te solicitan ayuda indica que pronto te verás en la necesidad de ser apoyado por alguien. Si sueñas que te ofrecen ayuda indica que recibirás peticiones de ayuda.

Ayuno

Es una alerta de que estás descuidando tu salud. También es un aviso que te indica malestar por deudas no pagadas.

Azúcar

Soñar con azúcar, en cualquier forma y en cualquier contexto es un buen presagio. Felicidad, entendimiento, prosperidad, ascensos, nuevas amistades, amores plenos y satisfactorios.

Babero

Retroceso a una etapa infantil transitoria. Complicaciones y conflictos que deben atenderse de inmediato.

Bacanal

Soñar con una bacanal es un indicio de fuertes deseos primarios a nivel subconsciente. Tu sexualidad está siendo reprimida y surge en los sueños de manera violenta. También es un sueño que advierte de excesos en comidas.

Bailar

Soñar que bailas representa, en términos generales, estados de ánimo positivos. Contento con uno mismo, alegría de vivir, celebración de la vida, sensualidad y equilibrio. Estás contento contigo mismo y lo reflejas en tu sueño. Todas las variantes de un  sueño en el que te ves bailando son signos positivos. Estás pasando por una etapa de la vida en la que todo se te da con facilidad y experimentas el lado agradable de la vida. Si en tu sueño ves o ejecutas bailes en los que se celebra un ritual, es un aviso de que necesitas conectarte con tus fuerzas espirituales para aprovechar al máximo la energía que te posee. Un baile también anuncia mejores expectativas laborales, negocios exitosos y buena suerte en todo lo que emprendas en cualquier área de tu vida.

Baile

Soñar con un baile tiene relación muy directa con la forma en que nos relacionamos con nuestra pareja. Si sueñas que bailas con alguien distinto a tu esposa o esposo, revela signos contradictorios: por un lado, temor de padecer el engaño, pero también debilidad, deseos de encontrar un romance fuera de casa. Si en el sueño el baile es de disfraces, indica que te escondes o escondes tus sentimientos y eso está afectando tu relación. Sinceridad es la clave. Bailar con la persona amada significa seguridad de ser correspondido.

Bailar también simboliza libertad, alegría, sensualidad y deseos sexuales.

Balcón

Soñar con un balcón indica buenos presagios. Te sientes elevado por un acontecimiento afortunado en tu vida. También significa que tus amigos te ayudarán a superar algún contratiempo que se pueda presentar. Sin embargo, si el balcón está descuidado o en mal estado, indica decepciones amistosas. Dependiendo del contexto del sueño, también puede indicar que tienes una personalidad exhibicionista. Te gusta ser visto. Si sueñas que alguien del sexo opuesto te acompaña en el balcón, debes esperar murmuraciones o chismes de parte de los demás.

Ballena

Soñar con una ballena indica un fuerte deseo de viajes y aventuras acompañado de una especial predisposición de carácter que te permitirá llevar a cabo

tus deseos. También significa que posees una fuerza interior que no percibes en tu vida consciente. El sueño te está indicando que tienes más fuerza de la que crees. Te esperan tiempos felices, aunque tengas que pasar por momentos tormentosos. Tu fortaleza te sacará a flote. Si sueñas que eres devorado por la ballena y luchas por salir de ella, demuestra tu capacidad para enfrentar los problemas.

Ballet

Soñar que contemplas un ballet indica un deseo de alcanzar un estatus social al mismo tiempo que te revela una escondida atracción hacia las artes. El ballet en un sueño también es un símbolo que te indica que debes ser cooperativo con los demás. El sueño te indica que debes hacer una introspección de ti mismo para descubrir si estás teniendo una vida equilibrada, tanto como para conocer qué aspecto artístico de tu personalidad estás escondiendo y, por tanto, no lo explotas.

Balneario

Soñar con un balneario indica fatiga mental, física o ambas. Necesitas tomar vacaciones o variar tus actividades para salir de la rutina. El agua de un balneario tradicionalmente está asociada con entretenimiento y diversión; sin embargo, también se asocia con rituales religiosos. En última instancia,

Las
mujeres
tienen propensión
a soñar con contenidos
familiares, contactos amistosos
y más sentimientos que los
hombres. Pero sueñan por igual con
los dos sexos, al contrario de lo que
sucede a los hombres, quienes sueñan
más a menudo con otros hombres y con
agresiones, ambición y desgracias.

soñar con el agua de un balneario puede estar indicándote una profunda necesidad de purificación.

Balón

Si sueñas que juegas solo con un balón, indica que debes esforzarte mucho por alcanzar tus metas o deseos. Es necesario sacrificarse para alcanzar la plenitud simbolizada en este elemento esférico. Si sueñas que juegas acompañado, revela tu deseo de volver a la niñez como una forma de escapar de los problemas adultos. El sueño te indica que debes afrontarlos con madurez para poder superarlos con éxito.

Balsa

Soñar que navegas en una balsa a la deriva tiene un simbolismo muy directo: tu vida no tiene rumbo o no encuentras un sentido que le dé valor a tu existencia. Si la balsa cruza los rápidos de un río y tú la guías, indica que sientes

preocupación por algún negocio del que no estás seguro.

Banco

Tu estabilidad económica está en entredicho a causa de las deudas. El sueño es un reflejo de tu deseo de escapar de ellas. También es un fuerte indicativo del deseo de disfrutar de una vida más próspera. Si sueñas que entras a un banco y te reciben con agrado, has sido capaz de superar problemas económicos que no tienen que ver necesariamente con un banco, puede tratarse de tu comodidad al ver resueltos problemas tanto con personas como con una institución.

Baño

El baño en un sueño siempre tiene un profundo sentido de purificación. Es un reflejo de tu ser interior que lucha por deshacerse de antiguos moldes. También indica la necesidad de ser limpiado por dentro de procesos que en el pasado te han hecho mucho daño. Si sueñas que te bañas tratando de hacerte una limpieza profunda, indica que necesitas la purificación para sentirte digno. Has sido víctima de algún acto grave y deseas eliminar ese recuerdo, o lo has cometido y tu alma necesita del perdón.

Bar

Soñar con un bar tiene una doble connotación. Puede significar que en tu interior sabes que estás dirigiendo mal tu vida y no debes esperar a derrochar más el tiempo. También puede significar que necesitas socializar más, deseo de tener más amistades, sensación de soledad.

Barba

Soñar con una barba tiene significados ricos y variados. En principio, la barba es un símbolo de fuerza asociada a lo masculino. Si una mujer sueña que tiene barba puede indicar que la vida le exige actuar con más energía; sin embargo, si está embarazada indica el deseo de tener un hijo varón, incluso es un presagio muy seguro de que así ocurrirá. La barba también representa la sabiduría de la experiencia que dan los años. Si un hombre sueña que tiene barba, el significado del sueño depende del estado en que ésta se encuentra. Si es una barba desaliñada, teme una vejez triste y solitaria; si la barba es abundante y bien cuidada, indica respeto por parte de los demás y la seguridad de que su vida se verá coronada por el reconocimiento de los demás. Si un hombre joven sueña que posee una barba así, significa que conoce su fuerza y sabe que los demás lo admiran y respetan a pesar de su juventud. En términos generales, soñar con poseer una barba en buen estado indica una vida larga y próspera.

Barco

Soñar con un barco es señal tanto de buenos como de malos presagios. Soñar con un barco indica suerte, felicidad en el hogar y prosperidad si:

Sueñas que miras cómo lo construyen, si subes a él, si sueñas que navegas en él por aguas

tranquilas, si sueñas que arribas a puerto seguro. Todos estos son signos de plenitud y buenaventura.

Soñar con un barco indica problemas, contratiempos, dificultades y sufrimiento si: Sueñas que navegas por aguas tempestuosas, si lo ves anclado, si sueñas que caes de él hacia las aguas, si se descompone o si se hunde. Todos estos son signos de angustia y, en algunos casos, incluso de ruina financiera o emocional.

Barrera

Una barrera de cualquier tipo es un símbolo de dificultades o resistencia al cambio. La barrera que ves en tus sueños es reflejo de alguna situación que te estorba para ir más allá y alcanzar tus deseos. La barrera también simboliza represión externa o autorrepresión.

Basura

Soñar con basura indica un entorno físico desagradable para ti. En más de un sentido tu vida se ha llenado de malas vibraciones de los demás por causa de envidias, celos o resentimientos que te impiden comunicarte adecuadamente con ellos.

Batalla

Soñar que participas en una batalla indica agotamiento por exceso de trabajo. También revela los conflictos que enfrentas en tu interior por estar luchando contra personas a las que no desearías hacer daño. Del mismo modo, refleja estados de ira por sentirte tratado injustamente por tus superiores en el trabajo o por familiares o amistades. Generalmente se sueña con batallas cuando se enfrentan juicios o demandas que causan preocupaciones y dolores de cabeza. La batalla también indica dificultades que enfrentas por primera vez y no sabes cómo actuar para vencer, las cuales pueden ser laborales, familiares e incluso románticas y sexuales. Si eres herido en la batalla o la pierdes, es un presagio de graves problemas futuros. En cambio, si ganas la batalla, te espera un futuro esplendoroso y el reconocimiento de los demás.

Bautizo

Soñar con un bautizo es uno de los símbolos más frecuentes de purificación y renovación. Estás pasando por un proceso en el que te convertirás en una nueva persona, con nuevas ideas, metas, visiones y un nuevo sentido de la vida. En el plano espiritual indica un proceso semejante relacionado con un acercamiento a Dios.

Bebé

Éste es uno de los sueños más ricos en significados simbólicos. Si una mujer que no tiene hijos sueña con un bebé, expre-

sa su deseo por medio del sueño, pero en general, tanto hombres como mujeres, al soñar con bebés, reflejan anhelos de un nuevo comienzo, de olvidar todos los conflictos o escapar a sus responsabilidades.

Sin embargo, también tiene el significado de desear convertirte en una persona limpia de todas las impurezas que han dañado tu mente y tu espíritu, pues un bebé representa la pure-

za en su estado más perfecto. Si sueñas que oyes llorar a un bebé indica una urgente necesidad de consuelo. Te sientes muy vulnerable y requieres un cuidado que sólo las personas más cercanas a ti pueden proporcionarte; también puede significar que algo en tu vida está tan mal o te ha afectado tanto que necesitas ayuda inmediata. El bebé que llora eres tú mismo y, en sentido metafórico, necesitas ser nutrido y protegido como hacen los padres con sus hijos pequeños. Soñar con un bebé revela en toda su desnudez el sufrimiento y la vulnerabilidad que sientes en tu interior.

Bebida

Soñar que bebes indica que el problema económico que atraviesas tendrá una pronta solución. Recibirás ayuda. Si, por el contrario, sueñas que tú sirves las bebidas, prepárate para recibir una solicitud de préstamo.

Sueños específicos:
* En este sueño interviene el agua, un elemento que cuando

aparece tiene implicaciones muy amplias, por lo que los detalles importan mucho durante la interpretación. Si sueñas que bebes agua limpia y depurada, significa que tendrás una salud de roble y que te irán muy bien los negocios.

* Si sueñas que bebes agua caliente, es de mal augurio, ya que te anuncia una enfermedad o el empeoramiento de la que ya tengas.

* Si sueñas que bebes vino, significa que te va a ir muy bien en todos los aspectos: amor, dinero, suerte, bienestar. También puede anunciar la llegada de un hijo.

* Si sueñas que bebes agua salada, indica que no te va a ir muy bien en el amor.

* Si sueñas que bebes aceite, te anuncia una enfermedad.

* Si sueñas que bebes agua que sabe muy mal, es de mal augurio, significa que tendrás problemas de salud, que vivirás peleas y conflictos. Si sueñas que estás bebiendo agua de un manantial, es de muy buen augurio, te anuncia suerte y negocios que aparecerán de repente y te harán ganar mucho dinero.

* Si sueñas que bebes en un vaso de cristal muy frágil, te anuncia problemas que deberás afrontar.

* Si sueñas que bebes en un vaso fino o estrecho, te augura prosperidad.

* Si sueñas que bebes en un vaso de oro o plata, te augura riquezas y abundancia.

Beso

Este sueño es de signo contrario. Si alguien te da un beso puede indicar problemas o insatisfacción sexual. Si tú das un beso, indica que algo te preocupa y no podrás estar tranquilo hasta resolverlo.

Hay una larga tradición en el beso que se ha transformado en memoria colectiva. Por ejemplo, un beso en la boca o en la mano, significa traición.

Las emociones enterradas suben a la superficie consciente durante los sueños. El recuerdo de los sueños puede ayudar a destapar las emociones y los recuerdos enterrados.

Sigmund Freud

Sueños específicos:
* Besar a un niño indica buena suerte.
* Besar a una persona fallecida también es signo de buena suerte.
* Besar a una mujer indica conflictos o problemas inesperados a los que tendrás que hacer frente.
* Besar a un hombre es anuncio de una próxima aventura amorosa, o bien, que te irán mal las cosas en tus negocios presentes.
* Si ves a niños besándose, el sueño te indica alegría familiar y una atmósfera agradable en el entorno laboral.
* Besar a algún pariente (hermano, madre, etcétera), es señal de fraternidad auténtica y felicidad en la familia.
* Besar a la persona amada en un entorno iluminado indica buenas intenciones de ambos. Pero besar a la persona amada en la oscuridad indica posibles infidelidades. Del mismo modo, besar a un desconocido o desconocida significa que sientes tentaciones ilícitas y estás a punto de caer en una de ellas. Ten cuidado, pues el inconsciente te está avisan-

do que es peligroso y podrías poner en peligro la estabilidad amorosa con tu cónyuge.

Bicicleta

Soñar que manejas una bicicleta indica un fuerte deseo de lograr equilibrio en la vida. Si tienes dificultad para mantenerte sobre la bicicleta, es una muestra de inseguridad y de preocupación acerca de tu capacidad para alcanzar tus objetivos.

Boda

Soñar con una boda, en general es una indicación de cosas positivas y agradables. En una boda, los novios y los invitados participan todos de una misma felicidad, pero hay sueños de carácter negativo relacionados con bodas.

Sueños específicos:
* Si eres soltero y sueñas con una boda a la que eres invitado, indica una felicidad próxima. También puede indicar un fuerte cambio de vida, pero con un aspecto positivo.

Es cierto, todo descubrimiento se debe
a un esfuerzo colectivo de muchos
años, de muchas personas... pero la
hipótesis, el experimento clave, se gestan
en momentos singulares de la esforzada
rutina investigadora. Casi siempre en la
vigilia, a veces –¿por qué no?–, en sueños
se produce una descarga en el interior de
un único cerebro que da lugar a la idea.

Jorge Barrero

* Si estás casado y sueñas a tu pareja casándose con otro, significa una casi inminente separación o ruptura.

* Soñar que te estás casando tiene un signo ominoso, pues anuncia una muerte. Pero si el pastor o sacerdote que dirige la boda está vestido de negro, tu sueño indica alegrías y cosas buenas por venir.

Bolsa

Soñar con una bolsa significa responsabilidades, cosas a cuidar, encargos que debes realizar. Una bolsa rota agrava el significado del sueño, pues revela que las responsabilidades son muy pesadas para ti. Si además la bolsa está llena de basura, tus cargas son enormes y debes encontrar urgentemente quien te ayude a compartir la carga.

Botas

Soñar con botas indica situaciones de signo contrario. Por ejemplo, soñar con botas nuevas indica peligros a los que debes estar atento. Si las botas son usadas y están maltratadas, significa que tu vida irá bien por un tiempo. Soñar con botas limpias lleva implícito el sello del éxito, sobre todo si en el sueño eres tú quien las limpia.

Bruja

Soñar con brujas es muy complejo en términos de interpreta-

ción. Puede ser un sueño muy positivo o muy negativo. Las brujas pueden encarnar símbolos contradictorios, por lo que soñar con una puede significar situaciones extremas, tanto en lo bueno como en lo malo. En términos generales, un sueño de esta naturaleza simboliza la bondad femenina, el encanto (encantamiento) y la fuerza de atracción que posee ese sexo; pero también, en el otro extremo, la capacidad de destrucción y la maldad encarnadas en una mujer.

Búho

Soñar con un búho indica que tienes la capacidad para advertir la llegada de gente mentirosa a tu entorno y detectarla. También advierte sobre enfermedades, peligros y posibilidades de muerte que no se realizarán. Tú o la persona que te preocupa saldrá adelante.

Burro

Soñar con un burro tiene un signo muy directo: indica simpleza de ánimo, lealtad, trabajo duro y compensador. Te sientes bien porque estás rodeado de gente leal, tanto en el hogar como en el entorno amistoso.

Estando muertos todos los sentidos durante el sueño, ¿en qué consiste que hay un sentido interno que está vivo? ¿En qué consiste que cuando vuestros ojos no ven, ni vuestros oídos oyen, sin embargo, veis y oís cuando estáis soñando? El perro caza soñando, ladra, persigue su presa y se la come. El poeta compone versos durmiendo, el matemático ve figuras, el metafísico argumenta bien o mal; hay sorprendentes ejemplos de todo esto.

Voltaire

Caballo

El caballo es uno de los elementos más ricos en significado en un sueño. Hay fuerza, energía, arrogancia, salvajismo, misterio y aventura. En general, soñar con un caballo de color claro indica buenos augurios, mientras que soñar con un caballo negro o de color oscuro significa malos augurios. Verse cabalgando durante un sueño indica aventuras inesperadas tanto como el próximo disfrute de una vida plena; también indica posibilidades de éxito en los negocios o una ganancia económica.

Sueños específicos:
* Sin embargo, soñar con un caballo tiene una implicación negativa. Ves en él características propias, como la arrogancia, el deseo o la sensación de estar por encima de los demás. El sueño te está indicando que debes controlar esas fuerzas negativas.
* Si sueñas que te persigue un caballo, sobre todo si es blanco, indica puritanismo, deseos insatisfechos, temor a la sexualidad.
* Soñar con un caballo muerto indica que te sientes desprotegido, algo esencial en tu vida se ha perdido para siempre.
* Soñar con una manada de caballos indica dificultades para con-

trolar tus emociones, pero también el deseo o la sensación de libertad.

* Si montas a un caballo que se encabrita, significa que estás fuera de control y te dejas llevar por tus pasiones. Esto terminará por perjudicarte y recibirás fuertes críticas de los demás.

* Soñar con caballos fuertes y hermosos a los que deseas montar, indica intensos deseos sexuales. Posibilidades de caer en relaciones extramaritales.

* Si durante el sueño un caballo te tira una patada o te pega una coz, esto indica que la persona amada te rechazará, o bien, que sufrirás grandes pérdidas económicas.

* Soñar que un caballo te lleva a la cima de una montaña indica que todos tus deseos se verán satisfechos y llegarás hasta donde quieres.

Cabello

Soñar con cabello tiene interpretaciones de signo contrario. Puede indicar tanto libertad como sumisión. Si te sueñas con el cabello al aire, estás pro-

yectando en el sueño que vives una etapa de libertad. En cambio, llevarlo atado indica una profunda represión externa, sumisión a alguien o a algo no deseado. También indica fuerza, vitalidad y virilidad.

Sueños específicos:
* Soñar con cabello descuidado o desaliñado indica que pasarás una etapa de dolores en tu vida.

* Si sueñas que te cortan el cabello, es una proyección de tu desamparo, sientes que has perdido fuerza.

* Soñar que has perdido el cabello te anuncia tristezas muy grandes, como la separación de la persona amada o la pérdida de un familiar varón. Indica también el temor de vivir una vejez desprotegida.

* Si sueñas que se te está cayendo el cabello, significa que temes por la suerte de algún familiar o

que sientes que la juventud y tu capacidad de atracción se están acabando.

* Soñar que te estás peinando indica que hay un problema mental que no has podido resolver y que debes poner en orden tus pensamientos. Soñar que llevas una peluca puesta, indica que estás dando a los demás una impresión de ti que es equivocada y temes que lo descubran. Necesitas dar otra imagen, y eso es un deseo muy intenso en ti. Si además sueñas que estás en una peluquería, el significado del sueño es más claro en ese sentido. Debes prepararte para un cambio en tu persona.

* Soñar con pelo canoso indica madurez, pero también deseo de tener a tu lado a alguien que te proteja. En cambio, soñar con un pelo largo, sano y sedoso, con un aroma agradable, indica que sientes una gran necesidad de una vida sexual más activa.

Cabeza

Soñar con una cabeza es signo de sabiduría, inteligencia y capacidad de comprensión, en términos generales. Si sueñas con tu propia cabeza, es una advertencia contra alguna enfermedad oculta. Debes consultar al médico. Soñar con la cabeza de otra persona indica prevención contra enemigos que no has podido identificar; debes estar al acecho de traiciones. Ver una cabeza de bellas proporciones indica que conocerás a alguien poderoso que te ayudará a conseguir tus deseos más profundos.

Cabra

Soñar con cabras indica deseos de salir de la rutina, o aún más, de planear un cambio de vida profundo. Retirarse a un lugar tranquilo. También indica planes en los que deberás involucrar vigor y energía. Si eres cauteloso, podrás establecer negocios que te redituarán un aumento en tu patrimonio.

Cachorro

Soñar con cachorros tiene un significado muy claro: si están sanos y retozando, tus deseos se cumplirán. Si los cachorros están enfermos, recibirás noticias desagradables o bien sufrirás una gran decepción.

Cactus

Soñar con un cactus significa opresión, algo te está aprisionando en tu vida y debes librarte  de ello. Las espinas del cactus indican el deseo de protegerte, ya sea en tu espacio vital o en tu intimidad. Ansiedad, deseo de defenderse de algo. Las espinas también indican la necesidad de adaptarse a situaciones indeseables pero inevitables.

Cadáver

Soñar con un cadáver tiene significados muy amplios y contradictorios. Puede indicar que sientes que una parte de ti ha muerto, pero también, de una manera más directa, el sueño indica que te aflige mucho la muerte de alguien. Dependiendo de tu estado emocional, el cadáver puedes ser tú u otra persona. A algunos, este sueño les indica que deben prepararse para su propia muerte. Del mismo modo, puede ser un signo de que temes algún trastorno al que debes prestar mucha atención.

Sueños específicos:
* Soñar con la muerte de un ser querido indica tanto una preocupación por él como también todo lo contrario: que ya no sientes afecto por esa persona.
* Soñar con tu padre o madre muertos es un mal augurio.
* Soñar con alguien que ha muerto pero está vivo en tu sueño, indica tu deseo de entrar en contacto con esa persona para restablecer la armonía o recuperar su afecto; en todo caso, indica que hubieras deseado resolver algunos malentendidos con esa persona antes de su muerte. Si durante el sueño

hablas con esa persona, significa que sientes mucho su pérdida y necesitas aprender a vivir sin ella. En términos generales, soñar que una persona muerta está viva, indica un deseo subconsciente de revivir lo que viviste con ella, de que no has asumido la experiencia de la pérdida.

Cadenas

Soñar con cadenas es una proyección muy clara de grandes sufrimientos y tristezas. Cuando se rompen las cadenas en tu sueño, significa que has ganado la partida o has podido olvidar. A partir de ese sueño lograrás la serenidad y la paz, incluso el éxito.

Caer

Soñar con caer en caída libre indica una vida sin dificultades, plena y realizada. Pero también caer al vacío puede ser una proyección de tus temores a causa de una situación que te está llenando de ansiedad. Si te golpeas al caer, es un anuncio de que tal vez alguien muy cercano te traicionará. Del mismo modo, es el presagio de una desgracia. Caer de un precipicio advierte de problemas con los negocios o la salud. Caer de un puente indica ansiedad junto con la necesidad de tomarse un descanso. En general, es un sueño que indica inseguridad, sensación de pérdida de control, temor de perder algunos elementos en tu vida que te proporcionan placer y bienestar.

Caja

Soñar con una caja llena de dinero indica buena suerte, siempre es un buen augurio. Si sueñas con una caja fuerte, debes tener cuidado con

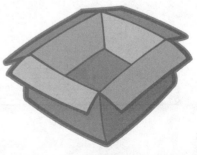

Cada noche tenemos alrededor de cinco sueños diferentes, aunque muchas veces no recordamos ninguno. Según cálculos de los especialistas, cuando una persona alcanza la edad de 75 años habrá tenido 136,875 sueños. Sin embargo, olvidamos la mayoría de ellos a los pocos minutos de despertar.

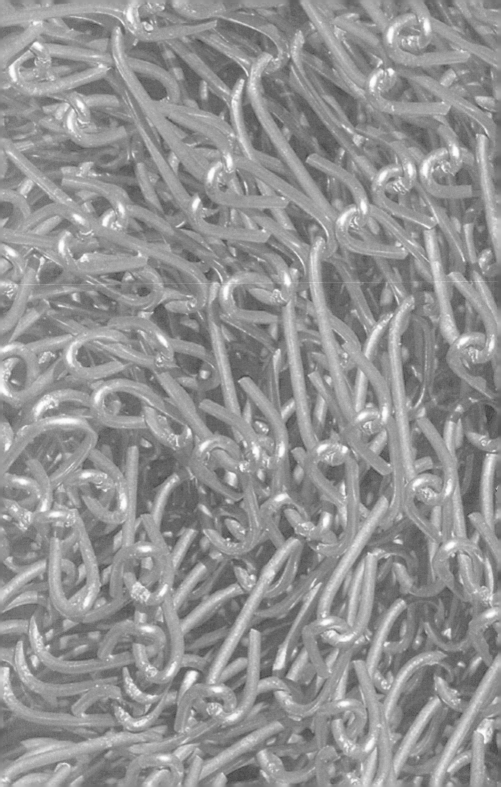

la adecuada realización de todas tus transacciones económicas. También indica seguridad de que tus bienes y tus afectos están bajo buen resguardo.

Cama

Soñar con una cama indica generalmente augurios positivos. Seguridad en tu entorno, felicidad doméstica, realización sexual, serenidad mental, paz familiar. Soñar que duermes en una cama al aire libre significa fuertes posibilidades de éxito en lo que estás llevando a cabo. Soñar que duermes en la cama de un desconocido indica directamente el deseo sexual que sientes por el dueño de la cama, pero también es una advertencia de que debes ser más cauteloso. Soñar que duermes en una cama muy grande o que flotas por encima de ella te indica que te sientes muy solo. Si sueñas que estás enfermo en cama, significa que una enfermedad te acecha y que debes tener mucho cuidado con tu salud. En cambio, soñar con una cama blanca y limpia indica placer,

bienestar y éxito en tu vida.

Campana

Soñar con campanas tiene buenos augurios en todos los sentidos. Éxito económico, comodidad, tranquilidad, paz en el hogar, armonía con las amistades. Soñar que las campanas suenan indica el placer que sientes de disfrutar la vida que llevas. Soñar con campanas pequeñas significa que para ti los placeres sencillos son muy importantes.

Campo

Soñar que caminas por el campo te indica la proximidad de noticias tristes. Observar un campo verde y soleado es indicación de que vendrán tiempos muy buenos y cambios positivos en tu vida. Seguridad y armonía. También puede indicar un deseo latente de cambiar de vida, la necesidad de un cambio de entorno que te ofrezca la paz que estás deseando, una vida sencilla y sin complicaciones. Un campo sembrado y floreciente indica deseo de estabilidad, de tener una familia y ver crecer a tus hijos. Deseos de una vida sólida en todos los sentidos. Necesidad de crecimiento interior y de abundancia espiritual y material. Un campo descuidado y sin cultivar es una señal de un estado de ánimo pesimista.

Cáncer

Soñar que sufres de esta enfermedad es una indicación de que estás pasando por momentos muy malos en tu vida interior. Te sientes solo y triste. También indica muy directamente el temor de padecer esta enfermedad, pero más generalmente indica la sensación de que tu vida está siendo muy insatisfactoria. Hay problemas que te afectan mucho y no sabes cómo resolver. El inconsciente trata de que despierte tu capacidad para resolverlos y veas todo con una postura más positiva.

Candado

Soñar con un candado indica opresiones y obstáculos a los que te enfrentas. También problemas que de momento no sabes cómo vas a resolver. Inseguridad en tus propias capacidades. Como ocurre con el simbolismo de las cadenas en los sueños, si eres capaz de resolver todo de buena forma, verás que los candados se rompen y te permiten acceder o traspasar las puertas que estaban encadenadas.

Cara

Soñar tu propia cara puede tener diversos significados. En general, los gestos de tu cara son un signo claro del simbolismo de tu sueño. Gestos de preocupación, tristeza, alegría o felicidad son la clave de tu sueño. Lo que ves en tu rostro es lo que estás experimentando en tu vida real.

Sueños específicos:
* Si sueñas con alguien sin rostro, indica que buscas tu propia identidad. También significa que no sabes cómo interpretar las experiencias o sentimientos que estás teniendo en la vida real. Del mismo modo, si sueñas a alguna otra persona sin rostro, indica que tienes necesidad de conocerla más.
* Soñar con un rostro alegre, sano y sonrosado indica buena salud y felicidad. Una cara hinchada indica enfermedad. Una cara fea significa resistencia a enfrentar una realidad que no te gusta. La cara de un extraño con gestos amenazantes indica que sientes que tienes enemigos desconocidos.

Carcajada

Un sueño de malos augurios en general. Reír a carcajadas o escuchar fuertes carcajadas durante un sueño indica el término de una buena amistad, tristezas por causa del amor no correspondido o fuertes preocupaciones por causa de malos negocios.

Cárcel

Soñar que estás en la cárcel tiene un significado muy directo, relacionado con una sensación de opresión por alguna causa que te asfixia en la vida real. Si en tu sueño son personas cercanas a ti las que están encarceladas, indica que tienes motivos para no confiar en ellas. Cualquier persona cercana a ti a quien sueñes encarcelada es alguien de quien temes que llegará a decepcionarte.

Caricias

Aunque a veces este sueño está relacionado con falta de afectos y necesidad de compañía, en

Somos un poco más nosotros mismos durante el sueño; el sopor del cuerpo no parece sino que sea el despertar del alma. Representa la ligazón de los sentidos, pero también la libertad de la razón; nuestras concepciones, al despertar, no alcanzan a las fantasías de nuestros sueños.

Thomas Browne

términos generales tiene significados muy positivos: satisfacción, bienestar y armonía. Te sientes bien contigo mismo y con tu vida. Soñar con acariciar a alguien o que alguien te acaricia indica sentimientos francos y sinceros entre las personas involucradas.

Sueños específicos:

* Soñar que acaricias el pelo de una mujer indica la posibilidad de vivir una relación muy apasionada con ella. Si la mujer del sueño es una desconocida, su alma está deseando comprometerse en una relación así.

* Soñar que acaricias a tu ex pareja indica que sigues queriéndola y en el fondo desearías volver con ella.

* Las caricias indican deseo de cuidar y proteger. Si la mujer sueña que un hombre acaricia su cuerpo, significa que está segura en sus relaciones de pareja.

* Soñar que se

acaricia el cabello con insistencia indica que tienes un dilema, sobre el cual no estás seguro de cómo actuar. El sueño te indica que debes replantearte la forma en que lo estás afrontando, tener nuevas ideas y una nueva conducta.

* Soñar que acaricias a un animal indica que pronto alguien cercano a ti te pedirá ayuda.

Carretera

Soñar con una carretera tiene significados muy variados y complejos. En general, la carretera es como un mapa de nuestra propia vida. Si sueñas una carretera deteriorada, en mal estado o con muchas curvas, significa que tu vida está llena de obstáculos, difíciles de sortear. Sin embargo, si sueñas que paseas por una carretera familiar, agradable y con un bello paisaje, indica que estás satisfecho con la forma en que ha

Nunca desistas de un sueño. Sólo trata de ver las señales que te lleven a él.
Paulo Coehlo

transcurrido tu vida. A veces, soñar con una carretera indica las distintas etapas de tu vida, el sueño te está señalando que debes reflexionar sobre este sueño en particular para encontrar soluciones o lecciones muy valiosas. Una carretera oscura, sin salidas ni retornos simboliza opresión, inseguridad, indecisión, no sabes cómo conducir tu vida y temes que tu capacidad para elegir es mínima. Desconfías de ti mismo. En términos más generales, soñar con una carretera casi siempre está relacionado con la dirección que le estás imprimiendo a tu propia vida.

Carta

Soñar con una carta de amor indica deseo de cariño y protección. También está relacionado con la necesidad de conocer más acerca de tu pareja, sobre todo posibles secretos que no ha compartido contigo. Soñar que recibes una carta de carácter comercial te indica precauciones en el campo económico y necesidad de ahorrar.

Casa

La interpretación de un sueño en el que aparece una casa es uno de los mayores retos, pues es un sueño muy complejo, al mismo tiempo que es uno de los que representan los augurios más positivos. De todos los sueños, éste es uno en el que cada detalle es de suma importancia, pero en general indica cosas buenas y agradables. La casa eres tú mismo y cada habitación representa los distintos rasgos de tu carácter.

Sueños específicos:
* Soñar con una habitación en el piso alto de la casa representa tanto aspiraciones elevadas como la confianza que tienes en tu propia inteligencia; por el contrario, soñar con el sótano revela los aspectos oscuros de tu ser, así como tus instintos más elementales.

* Soñar con una casa vacía indica inseguridad y deseo de encontrar protección, pero también fuertes emociones o sentimientos que mantienes dormidos dentro de ti.

* Soñar que estás en una casa extraña revela aspectos de tu futuro, cada detalle es una clave que ayudará a interpretar correctamente este sueño; por ejemplo, las puertas de esa casa desconocida son caminos u oportunidades que debes elegir.

* Soñar que construyes tu propia casa indica plenitud en todos los sentidos: tienes o tendrás proyectos novedosos y exitosos, tu futuro está lleno de oportunidades y tu vida se verá bendecida por la tranquilidad, la estabilidad mental, familiar y económica. Todo te irá bien. Sin embargo, si sueñas que limpias tu propia casa, simboliza la necesidad de limpiar tus propios prejuicios o pensamientos equivocados.

Castillo

Soñar con un castillo es un anuncio de grandes cambios, casi todos ellos positivos. Debes estar preparado para adaptarte a esos cambios y sacar el mejor partido de ellos. Soñarse dentro de un castillo revela deseos de grandeza, vanidad y egocentrismo. No quieres reconocerlo, pero el inconsciente te indica lo que tus seres más cercanos te han estado transmitiendo, a veces sin querer: una gran molestia por ese rasgo de tu carácter.

Ceguera

Éste es un sueño de signo contrario. Soñar que pierdes la vista indica que vas en el camino correcto en tus asuntos empresariales o de negocios. Soñar que ves o hablas con un ciego simboliza grandes posibilidades de encontrar soluciones felices a problemas que parecen insolubles.

Celos

Inseguridad, preocupación, falta de amor propio. Es un sueño muy directo: si sueñas que tienes celos de alguien, es una proyección de tus sentimientos en la vida real. Soñar que alguien tiene celos de ti, en cambio, indica que desconfías de esa persona sin tener ningún fundamento. El sueño sólo es un reflejo de tu propia sensación de indefensión.

Cerradura

Soñar con la cerradura de una puerta indica un camino que se te cierra, aspiraciones canceladas y oportunidades que dejaste ir. También indica incapacidad para comunicarte con los demás, una gran necesidad de expresar cosas que sabes que no serán bien recibidas o que temes que sean malinterpretadas.

Cielo

Un sueño con simbolismos muy directos. Soñar con un cielo despejado y lleno de sol indica un futuro próximo con muy buenos augurios, una etapa de tu vida en la que todo te sonreirá. Un cielo con nubarrones indica, por el contrario, un fu-

turo con preocupaciones y fuertes problemas financieros. Un cielo nocturno estrellado y apacible significa paz, sensación de libertad, un espíritu sereno. Un cielo nocturno sin estrellas y sin luz indica inseguridad respecto al futuro. Soñar que flotas en el cielo entre nubes indica inestabilidad, sobre todo en el campo sentimental. No te siente correspondido por tu pareja.

Ciervo

Es un sueño de buenos augurios. Soñar con un ciervo te presagia una buena etapa en tu vida, acompañado de buenos y fieles amigos. Buena suerte en todos los proyectos que emprendas.

Cine

Soñar que estás dentro de un cine te indica un fuerte deseo de compañía, sensación de soledad y necesidad de contar con una vida social más satisfactoria. Si sueñas que ves una película agradable, significa que pasas por una época sin preocupaciones,

todo en tu vida está bien, aun cuando signifique también que pasas por una etapa en la cual no deseas comprometerte con nada. Soñar que ves una película de horror significa incomodidad por algún aspecto de tu personalidad que no te gusta, también te anuncia una enfermedad cuyos síntomas has desdeñado. Debes cuidarte más.

Cocodrilo

Sensación de peligro. Hay algo que te amenaza, pero no sabes exactamente que. Este sueño te indica que debes reflexionar acerca de las decisiones im-

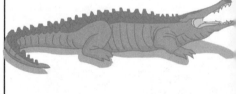

portantes que debes tomar en tu vida, tanto como tener precaución de los gestos aparentemente amables de algunas personas en las que confías.

Colegio

Soñar con un colegio indica claramente problemas que arrastras desde tu infancia, conflictos que no has resuelto. Deseos de escapar de tu vida actual y refugiarte en una época de seguridad, donde no tenías que tomar decisiones. También puede indicar que la vida real te está mostrando una lección que debes aprender.

Cisne

Un sueño con muy buenos augurios. Cuando un cisne aparece en tus sueños, significa que viene una etapa de bienestar, despreocupaciones económicas y experiencias novedosas. Salud, armonía en el entorno familiar y laboral, así como una etapa de mayor brillantez mental para resolver algunos acertijos de tu vida.

Ciudad

Soñar con una ciudad indica muy directamente la forma en que te estás relacionando con tus amistades y conocidos. Es un sueño que te indica claramente tu compromiso o aislamiento social. Soñar con una ciudad deshabitada significa sensación de desamparo y soledad. Soñar con una ciudad llena de actividades y movimiento indica tu satisfacción por el lugar que has alcanzado en la vida y la estima que te tienen los demás. Soñar con una ciudad en ruinas te advierte que debes cuidar tu forma de relacionarte y cultivar de una mejor manera tu manejo del sentido de la amistad, pues

algunas actitudes tuyas están haciendo que se alejen de ti.

Clases

Soñar que asistes a una clase significa que la vida te está enseñando una lección que debes aprender. También representa un deseo de huir al pasado y obtener confort para recuperar fuerzas y enfrentar las dificultades de la vida real. Inseguridad y desconcierto ante tu capacidad para reaccionar a los retos que la vida te plantea.

Coche

Soñar con un coche tiene interpretaciones muy directas. Si sueñas que ves un coche nuevo, significa deseo de una mejor posición social, quieres alcanzar metas económicas ambiciosas.

Soñar que compras un coche significa una pronta prosperidad. Soñar que conduces un coche simboliza el grado de control que tienes sobre tu vida. Si la conducción es errática, eso es lo que estás experimentando en la vida real. Si conduces con facilidad y comodidad, te sientes satisfecho de tu posición social. El coche no sólo es el medio que te conduce hacia tus metas, sino también un entorno en el que te sientes protegido. Soñar que pierdes el control del coche indica que estás manejando más cosas de las que eres capaz y eso se ha convertido ya en un problema que debes encauzarte a resolver. Soñar que sufres un accidente de coche te indica la enfermedad o la pérdida de un ser querido. Soñar que eres testigo de un accidente automovilístico es presagio de problemas que tendrán consecuencias en algún aspecto de tu vida. La normalidad se verá alterada.

Colores

Soñar con colores tiene interpretaciones muy claras, siempre que en el sueño lo único que aparece, o el elemento más importante, es el color. Cada uno de ellos representa un estado de ánimo particular. A continuación enlistaremos los significados más comunes:

Amarillo: Sensación de seguridad en tus actos. No temes enfrentar los problemas que te plantea la vida y sabes adaptarte a los cambios.

Azul: Es el color de la espiritualidad. En tu interior se encuentra tu mayor riqueza y el apoyo para superar las dificultades. Eres muy confiable en situaciones apremiantes o peligrosas.

Beige: Una fuerte sensación de aislamiento, falta de comunicación con los demás.

Blanco: Transparencia y luminosidad. Una personalidad confiable, un gran equilibrio emocional. Energía y vitalidad.

Café: Estabilidad emocional. Eres una persona que gusta de mantener relaciones duraderas basadas en la comprensión mutua, pero al mismo tiempo eres una persona independiente y exitosa.

Gris: Etapas mentales confusas pero pasajeras. Indica un deseo de claridad y estabilidad emocional. El gris claro es símbolo de serenidad. El gris oscuro está relacionado con temores.

Lila: Sabes que posees una gran claridad mental para juzgar a las personas y a las situaciones que enfrentas.

Naranja: Personalidad fuerte y apasionada, gustas de las aventuras y las emociones intensas.

Negro: Personalidad compleja, dificultad para manejar las relaciones sociales.

Rojo: Intensidad en todos los planos de tu vida. Te comprometes a fondo con tus relaciones afectivas pero sueles ser voluble en tus sentimientos. Aun así, eres una persona sensible a las necesidades de los demás.

Rosa: Temperamento suave y afectuoso. Aspiras a la tranquilidad en tu vida por encima de todas las cosas. Tu posesión más valiosa es el amor por tus seres queridos.

Turquesa: Confías en tu suerte y te arriesgas a tomar las oportunidades que se te presentan. Estás dotado para extraer lo mejor de las experiencias que tienes en la vida.

Verde: Una vida interior muy rica. La madurez y la serenidad te definen como persona.

Comer

Soñar que estás comiendo en compañía es un reflejo de estabilidad familiar, aunque también puede indicar molestias que en la vida real derivan en discusiones. Soñar que eres invitado a una comida lujosa es un buen augurio, significa que vienen etapas de buena suerte y prosperidad. Soñar que comes solo indica tristeza y una fuerte opresión sentimental que puede convertirse en una depresión. El sueño te indica que debes poner el acento en una vida social más viva. Soñar que comes en un restaurante significa un ascenso en el peldaño social, oportunidades que vas a aprovechar. Pero si en el sueño el camarero te retira el plato sin haber comido nada indica escasez tanto como problemas familiares. En términos generales, soñar que comes con placer indica una buena posición y una mejora en tu calidad de vida.

Competir

Soñar que compites en alguna actividad deportiva te indica que tienes que ser más seguro de ti mismo, confiar más en tus capacidades y tener más resis-

tencia ante las adversidades. Soñar que compites en una justa escolar o académica en general, simboliza la necesidad que sientes de crecer a nivel intelectual.

Comprar

Si durante la etapa en la que sueñas que compras algo estás a punto de realizar alguna transacción comercial o cerrando algún negocio, el sueño te indica que estás encaminado a tener éxito y a obtener ganancias. Comprar, en términos generales, indica capacidad de análisis en tus negocios que te redituarán un mejor nivel de vida, un estatus social más alto y grandes satisfacciones a nivel personal. Soñar con comprar tiene un contenido de buenos augurios, pero si sueñas que compras un bien raíz, o realizas el cierre de una compra inmobiliaria, los buenos augurios se multiplican.

Conejo

El conejo es uno de los símbolos de la buena suerte. Soñar con uno indica éxito en el plano laboral y emocional. Viene un largo periodo de buena suerte que debes aprovechar al máximo.

Convento

Soñar con un convento indica necesidades del alma no satisfechas. Estás pasando por una etapa en la que te sientes solo y no sabes cómo allegarte la compañía que te conforte. El convento es un símbolo de recogimiento y apoyo espiritual que compensa la falta de amistades reales. Si una mujer sueña que ve un convento, indica que su sentido moral está siendo cuestionado, ya sea externamente o desde su interior. Dudas sobre la calidad espiritual de tu alma. En un sentido más amplio, también significa el deseo de tener una vejez tranquila y apacible.

Corazón

El corazón simboliza, por una parte, los sentimientos más puros

> **Si vives correctamente los sueños vendrán a ti.**
>
> *Randy Pausch*

como la compasión y el amor. Por otra parte, es también un símbolo de salud o de la pérdida de ésta. Soñar con un corazón significa emociones muy intensas relacionadas con ambos elementos. Tal vez estás pasando por una etapa en la que sientes que el amor es imposible, o que el amor que tienes no es suficiente. Del mismo modo, es un indicio que te alerta sobre tu salud. El corazón no sólo es el órgano que simboliza el amor, sino también el centro de la salud. Cuida ambos aspectos en tu vida.

Cordero

El cordero representa tres símbolos básicos: la prosperidad, el sacrificio y la injusticia. En un nivel elemental, soñar con un cordero indica que debes sacrificarte para alcanzar tus objetivos, o bien que no estás siendo bien juzgado por tus acciones y sientes que eres tratado de manera injusta.

Correr

Soñar que corres acompañado indica que te sientes protegido y confías en las personas que te ayudan a alcanzar tus objetivos. Son un equipo en el que puedes delegar funciones delicadas. Si sueñas que caes mientras corres, indica un temor de perder tus bienes a causa de malas decisiones. Soñar que corres para escapar de un peligro simboliza tu temor de enfrentarte a los problemas que requieren una solución pronta y una decisión inteligente. Si durante el sueño corres para huir de alguien, sabes que en la vida real estás eludiendo enfrentarte a esa persona. Sin embargo, soñar que corres con un objetivo en mente y logras alcanzar la meta significa que estás seguro de alcanzar la posición social y económica que estás deseando.

Cucaracha

Soñar con cucarachas representa profundas contradicciones psicológicas y luchas interiores. Una cucaracha en un sueño indica la necesidad de revisar y renovar varios aspectos de nuestra vida. El simbolismo más claro se resume en la palabra: Evaluación, tanto del cuerpo como de la mente y el espíritu. En términos prácticos, si sueñas que matas a una cucaracha, significa que tendrás la fuerza para derribar los obstáculos que se te presentan. Si huyes de ella por temor, indica una incapacidad para entender posturas distintas a la tuya.

Cuchillo

Soñar con cuchillos es de mal augurio. Indica luchas de poder, enfrentamientos, peleas y conflictos. Los sentimientos involucrados con este sueño son todos negativos, sobre todo temores y odios. También denota una debilidad de carácter de la que tal vez no estés consciente. En términos prácticos, soñar con un cuchillo muy afilado significa pérdidas económicas, enemigos que logran superarte, amores rotos o conflictivos y una mala etapa en el hogar. En resumen, las palabras claves de este sueño son todas negativas: separación, pérdidas y derrotas.

Los sueños nos protegen contra la monotonía y la vulgaridad de la existencia.

Novalis

Dados

Soñar que ves unos dados indica muy directamente dos cosas, dependiendo de la situación por la que estés atravesando en tu vida: por una parte, significa un deseo de escapar del trabajo y los compromisos, la necesidad de tener más tiempo libre; por otra parte, si al soñar con dados estás en un periodo de cierre de algún negocio importante, significa riesgo. Debes ser muy cuidadoso para evitar pérdidas.

Dedos

El soñar con dedos tiene por lo general significados muy precisos. Soñar con un dedo en el que ves un anillo indica satisfacción matrimonial o deseo de contraer nupcias. Si la persona está comprometida, el sueño le señala que la unión se realizará muy

pronto. Soñar con dedos en buen estado de mantenimiento, con uñas limpias y bien cortadas indica éxito y la posibilidad muy real de recibir los reconocimientos que has estado persiguiendo. Los dedos maltratados o sucios indican

El poeta Samuel Taylor Coleridge despertó una mañana después de tener un fantástico sueño y se dispuso a escribir su "visión en el sueño" en lo que se convertiría en uno de los más famosos poemas: *Kubla Khan*. Pero fue interrumpido. Coleridge trató de continuar con el poema pero no pudo recordar el resto de su sueño, y el poema nunca fue terminado.

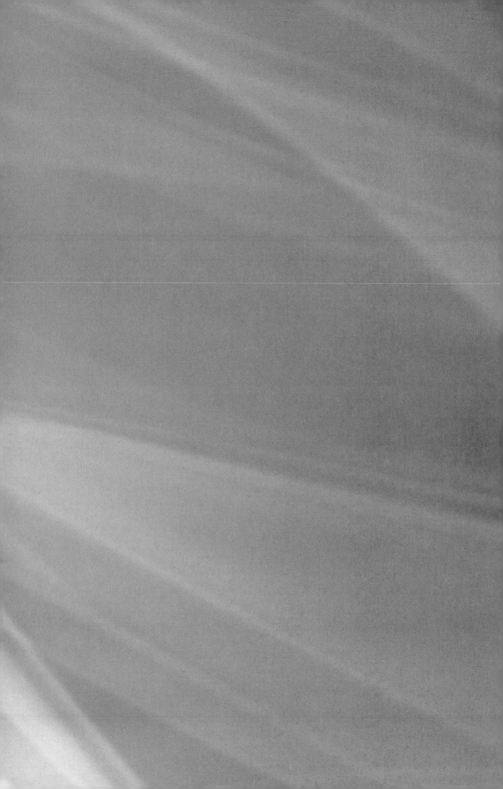

que tu reputación no es muy buena entre los demás. Seguramente hablan mal de ti a tus espaldas. Un dedo cortado o con una herida significa problemas de salud, calumnias, conflictos familiares o problemas económicos. Si sueñas que te cortas las uñas, debes estar atento a tu conducta, elegir la prudencia y el tacto con una persona querida, pues tu comportamiento grosero podría terminar con una relación para siempre. El tamaño de los dedos también oculta una simbología: los dedos cortos indican inseguridad, mientras que los dedos largos son señal de confianza, habilidad y un fuerte sentido de aprecio por sí mismo.

Defecar

Soñar que enfermas de diarrea indica grandes contradicciones. Tu vida está siendo mal conducida y atraviesas por varios problemas en diversos aspectos de tu vida. Te sientes incómodo contigo mismo pero no deseas realizar los cambios necesarios para mejorar. También indica

temor ante la posibilidad de verte obligado a realizar exámenes de tipo académico o médico. En general, miedo a ser evaluado en tu persona o en tus conocimientos. Defecar es un acto de expulsión y, en ese sentido, indica deseo de purificación, de deshacer lazos dañinos, pero también puede tener un significado de soledad y profundo aislamiento, falta de autoestima. Anuncia los primeros síntomas de una próxima depresión. Soñar que miras excrementos significa que sientes una profunda aversión por ti mismo. Te sientes sucio e indigno, crees que los demás (o alguna persona en particular) tienen razón al despreciarte o sentir repugnancia por ti. Debes trabajar más en ti mismo para afirmar tu seguridad y el amor propio.

Delfín

Soñar con un delfín que nada en la superficie del agua significa que serás traicionado o engañado por alguien en quien tienes depositada tu confianza. En cualquier otra circunstancia, soñar con uno o varios delfines tiene significados muy positivos. El simbolismo del delfín implica seguridad, sensación de protección, amor y amistades fuertes y confiables. También indica que te sientes muy bien contigo mismo y sabes que los demás lo perciben claramente e interpretan adecuadamente tus actos y tus pensamientos. Te sabes comprendido y querido. Soñar con un grupo de delfines sumergidos y danzando entre ellos indica un estado espiritual muy elevado y una capacidad de introspección notable. Inteligencia, espiritualidad y optimismo.

Demonio

Soñar con el demonio tiene que ver con la parte negativa de ti mismo. Puede ser que si sueñas con el demonio, te sientes culpable por algo. Ha llegado la hora de dejar por un lado esa sensación de culpabilidad. Por otra parte, en un sueño el demonio puede representar la inteligencia o el engaño.

Dentista

Soñar que estás en el dentista significa una duda sobre la sinceridad y el honor de una persona. Tal vez te dé miedo el dolor o el sufrimiento, pero a largo plazo merecerá la pena.

Depresión

Soñar con este sentimiento tiene un claro significado de una alteración emocional muy fuerte. Estás sufriendo por causas que no comprendes. Un sueño en el que estás deprimido se refiere a tu incapacidad de hacer conexiones. Eres incapaz de ver las causas de tus problemas y las consecuencias de tus decisiones.

Los sueños poseen integridad y verdad poética y hay cierta razón que los gobierna. Su extravagancia corresponde no obstante a una naturaleza más elevada. Nos irritan independizándose de nosotros pero al mismo tiempo nos reconocemos en esa caterva desequilibrada. A menudo son la maduración de opiniones no concretadas. El hombre prudente lee sus sueños para conocerse a sí mismo.

Ralph Waldo Emerson

Desierto

Si sueñas que atraviesas el desierto, simboliza una pérdida y mala suerte. Tal vez alguien está hablando mal de ti. Los desiertos también simbolizan la soledad, la infertilidad y la desesperación. Si sueñas que por placer cruzas el desierto o haces un viaje por el desierto, indica que eres muy generoso y eso te traerá suerte en el amor. Si sueñas que atraviesas el desierto en muy malas condiciones, con mucha arena y viento, es de mal augurio, pues significa que pasarás penurias económicas e incluso pérdida de tus bienes. Soñar que estás en el desierto y estás buscando un oasis, simboliza tus miedos interiores y tus inseguridades. Estás buscando un apoyo emocional para seguir adelante. Soñar que estás en el desierto y encuentras un oasis significa éxito en los negocios y en los asuntos financieros. Tu cuerpo te está pidiendo vacaciones, descansa un poco. Soñar con mucha arena significa un cambio de actitud importante en tu vida. Quizá estás malgastando tu tiempo en cosas que no merecen la pena y, a cambio, te pierdes otras que son más importantes. Soñar con arena húmeda significa que te falta equilibrio en tu vida.

Soñar con dunas en el desierto simboliza tus deseos de sentirte protegido de la crueldad de la realidad.

Despedida

Si sueñas que te estás despidiendo de alguna persona, el sueño te está advirtiendo que tengas cuidado con tu salud.

Deuda

Soñar que tienes una deuda significa luchas, preocupaciones y problemas en tus negocios y en el amor.

Descalzo

Soñar que estás desnudo es bueno en el aspecto económico. En cambio si los que están desnudos son tus pies es porque vas a tener que atravesar muchos baches.

Día

Soñar con un día lleno de sol indica que eres perceptivo y juzgas a las personas y a las situaciones con gran certeza. Soñar con un día nublado indica la pérdida de alguien cercano. Se acercan tiempos difíciles.

Diamante

Soñar con un diamante es un augurio de calidad ambigua: por una parte te anuncia que tu economía se verá beneficiada

por causa de los esfuerzos que estás realizando en ese sentido, pero tus esfuerzos se verán enfrentados a peligros y obstáculos que debes vencer. El diamante en un sueño también tiene el significado de celos, conflictos y envidias en torno a un bien material. Otro significado de soñar con un diamante tiene que ver con tu propio carácter. Es un indicio de vanidad y prepotencia. Debes estar alerta a estos sentimientos para controlarlos y evitar que te aíslen socialmente.

Dientes

Los sueños en los que aparecen los dientes en un rostro que se ve completo, son muy ambiguos, puesto que los rasgos y gestos de la cara son más significativos que los dientes en sí mismos. Pero si lo más relevante son los dientes en tu sueño, la clave para desentrañarlo sí está en ellos. Por lo general, los dientes sanos, enmarcados por una sonrisa, indican prosperidad, una amplia capacidad de comunicación y que estás cómodo con tu aspecto. Alta autoestima. Sin embargo, el sueño más frecuente es aquel en el que se caen los dientes. Esto significa que albergas el temor de ser ridiculizado.

Sueños específicos:
* Soñar que los dientes se te caen por causa de la caries indica un temor a no ser tomado en cuenta, te sientes marginado y crees que tus opiniones no son escuchadas con respeto o son desdeñadas. Este sueño también indica que sientes que tu pareja no es confiable, estás inseguro de sus sentimientos hacia ti.
* Si algún ser querido está enfermo, un tercer significado de soñar con dientes que se caen indica temor de que muera esa persona que significa mucho para ti, y generalmente es un presagio de que eso va a ocurrir. El significado se enriquece dependiendo de la localización de los dientes caídos. Si se caen los de arriba, el presagio de muerte de alguien cercano es más probable; si los que caen son los de abajo, el significado es que la persona que morirá no está ligada a ti por un gran afecto.
* Soñar que te cepillas los dientes es un indicio de que estás metido en problemas que te afligen pero de los que al final saldrás triunfante. También indica que podrás pagar tus deudas a pesar de que en este momento no sepas cómo hacerlo.
* Soñar con dientes de oro, por mal gusto que represente, indica que estás por experimentar una etapa de muy buena suerte.
* El sueño de peor augurio también tiene que ver con esta clase de sueños. Si tus dientes están débiles y ves que se doblan como si fueran de plástico o cualquier otro material maleable, el presagio es malo porque anuncia tu propia muerte.

Dinero

Soñar con dinero tiene un profundo simbolismo relacionado con el poder, la sexualidad y el éxito. Encontrar dinero significa que de-

Crecemos
en grandeza a
través de sueños. Todos
los grandes hombres son
soñadores. Ven cosas en la suave
neblina de un día de primavera o
en el rojo fuego de una larga tarde de
invierno. Algunos de nosotros dejamos
que estos grandes sueños mueran, pero
otros los alimentan y protegen; los cuidan
a través de días aciagos hasta que los
traen al calor del sol y la luz que siempre
llega a quienes sinceramente esperan
que sus sueños se hagan realidad.

Woodrow Wilson

seas poder, prosperidad, amor, o todos estos elementos a la vez. Si sueñas que extravías dinero, tienes sentimientos de pérdida de autoestima y una gran vulnerabilidad.

Sueños específicos:

* Soñar que te piden dinero prestado presagia situaciones embarazosas, no necesariamente relacionadas con el dinero.

* En el caso de simbolismo contrario, soñar que tienes mucho dinero indica que lo perderás; también soñar que gastas tu dinero es presagio de que pasarás por una racha de mala suerte.

* Soñar que ganas dinero en juegos de azar indica que habrá varios cambios en tu vida, algunos de ellos dolorosos, pero todos muy positivos.

* Soñar que ahorras dinero es

un buen presagio de que vivirás libre de preocupaciones en todos los ámbitos, no sólo el económico. Soñar que cuentas dinero es una proyección de una preocupación real: sabes que necesitas dinero y no cuentas con liquidez suficiente.

Dinosaurios

Soñar con dinosaurios está relacionado con decadencia y sensaciones de pérdida de vitalidad en un sentido muy profundo. Sientes que la vida te está dejando atrás y que tus mejores momentos han pasado ya. También indica actitudes que ya no son adecuadas a los tiempos que corren. Tal vez ha llegado la hora de desechar tus for-  mas antiguas de pensar y/o tus viejas costumbres. Si en tu sueño un dinosaurio te persigue, quiere decir que tienes miedo de no ser útil o de que la gente ya no te necesite. También puede significar que antiguas preocupaciones van a volver a molestarte.

Dios

A pesar de que la palabra en sí misma tiene un enorme significado, su simbolismo a nivel de los sueños es muy pobre ya que son pocos los sueños en los que Dios aparece. En general, si sueñas que hablas con Dios el significado es muy directo: te sientes lleno de paz y tu ser interno está en armonía. El mismo significado aplica si sueñas que oras a Dios. Soñar que eres Dios, revela un deseo profundo de sobresalir en la vida real, una fantasía egocéntrica que debe ser controlada antes de que se desborde y desemboque en serios problemas mentales. En determinadas circunstancias, soñar con Dios simboliza una profunda angustia por causa de graves problemas que te aquejan.

Discutir

Soñar con discusiones tiene signos muy directos en términos generales. Anuncia rupturas, reproches, conflictos y malos momentos. Dependiendo del punto en que te encuentres en tu vida personal, este sueño puede tener significados muy claros. Soñar que discutes con tu pareja indica infidelidad o una profunda decepción que llevará a la separación. Soñar que discutes con alguien de tu trabajo  indica dificultades que traerán consigo consecuencias graves en el ámbito laboral. Si sueñas que eres testigo de la discusión de otras personas, significa que alguien desea traicionarte en un negocio.

Soñar que discutes con una persona conocida simboliza un deseo oculto de animadversión contra ella pero no te atreves a enfrentarla.

Disparo

Soñar que disparas un arma indica un carácter fuerte y dominante. Enfrentas los retos con valentía y no temes a nada. Eres agresivo en los negocios y en el amor y no permites que nada se interponga entre tus deseos y tus metas.

Sueños específicos:
* Soñar que te disparan indica que te sientes vulnerable en una situación en la que están involucradas personas cercanas a ti en las que no confías. Te sientes desprotegido. Este sueño también indica una proyección sobre algo que te incomoda de ti mismo, has hecho algo de lo que te arrepientes y el remordimiento hace que sueñes que sufres un castigo merecido. Del mismo modo, soñar que eres atacado con un arma de fuego significa que desearías escapar de la vida que tienes, convertirte en otra persona.
* Soñar que disparas a alguien indica fuertes sentimientos de agresividad contra esa persona en particular, pero también indica hostilidad en tu ambiente laboral. Soñar que disparas contra ti mismo indica que sufrirás momentos muy difíciles y te culpas de ellos.

Divorcio

Soñar que te divorcias puede no tener ninguna conexión con este hecho, pues puede significar simplemente que te encuentras en una etapa de cambios y transiciones en tu vida. La ruptura es con tu forma de vivir o de pensar y no con una persona. Por otra parte, éste es también un sueño de signo contrario, pues soñar que te divorcias indica fuertes

lazos sentimentales, estás seguro del amor que sientes por tu pareja y del amor que ella siente por ti. Sin embargo, como en los sueños se revelan nuestros temores más profundos, a veces soñar que te divorcias puede indicar un fuerte temor a ser abandonado o a una posible separación. Una mujer casada que sueña que se divorcia proyecta tanto deseo como temor a caer en la infidelidad. Este sueño también está relacionado con presagios de pérdida de empleo.

Dolor

Soñar con dolores está directamente relacionado con temores, dudas, angustia y sufrimiento. Un dolor de cabeza puede indicarte que estás tomando decisiones equivocadas, pero también que estás reprimiendo aspectos de tu vida que están a punto de hacerte explotar. Situaciones complejas y emociones encontradas.

Sueños específicos:
* Si estás enfermo y sueñas con dolor, el significado es doble: por una parte simplemente estás reflejando en tu sueño el dolor que te causa la enfermedad, pero por otra parte también es presagio de que se agravará o bien que tu enfermedad tomará algún tiempo para remitir.
* Si sueñas que sufres dolores en otras partes de tu cuerpo, es un presagio de que sientes que tu vida está fuera de control y experimentarás soledad y angustia, un futuro lleno de infelicidad.
* Soñar que experimentas un dolor muy localizado en el vientre indica que eres muy exigente contigo mismo.
* Soñar que te duelen los ojos indica que hay algo que no deseas ver a pesar de ser muy evidente, también significa que pronto sufrirás una gran decepción.
* Soñar que te haces daño a ti mismo indica un sufrimiento real a causa de problemas en tu vida que no sabes enfrentar, estás abrumado y te refugias en el dolor para no pensar en los conflictos

verdaderos. Tienes más problemas de los que puedes soportar. También puede indicar que temes por tu suerte en el trabajo debido a retrasos o negligencias personales.

* Soñar que ves a alguien sufrir es un claro indicio de que estás cometiendo un grave error en un aspecto clave de tu vida en este momento.

Dormir

Soñar que te duermes significa negligencia y descuidos en los negocios; soñar que duermes en tu cama placenteramente es un anuncio de plenitud; soñar que no puedes dormir indica urgencia con el dinero; soñar que mientras duermes te observan indica calumnias y maldad; soñar que duermes con tu amor es señal de que vendrán nuevas relaciones; soñar que duermes con un desconocido opuesto a tu sexo indica que tendrás éxito en el amor y en las relaciones, y soñar que duermes en un lugar que no es el habitual te advierte que debes tener cuidado con oposiciones en los negocios.

Dragón

Soñar con un dragón es indicio de un carácter difícil. Estás en malos términos con casi todo mundo a causa de tus tendencias explosivas. Estás acostumbrado a resolver todo por medios violentos o agresivos y esta situación te provoca más conflictos. El sueño te indica que debes controlarte para salir de este círculo vicioso.

Duendes

Soñar con duendes es de muy buen presagio. Indica bienestar porque te sientes arropado y querido en tu entorno familiar y laboral. Si estás separado de alguien, soñar con duendes indica una pronta reconciliación. Tu vida está llena de felicidad, sientes que eres comprendido y aceptado. El único mal augurio relacionado con este sueño no es grave: sólo te indica que deseas volver a la infancia, sentir que escapas de un conflicto que no deseas enfrentar.

E

Egipto

En general, soñar con un país lejano y exótico indica un deseo de aventura no satisfecho. Si en tu sueño te ves en Egipto o viajando hacia ese país, también significa una fuerte inclinación hacia emociones que tienen que ver con tu anhelo de conectarte con tu parte más espiritual.

Elefante

Soñar con un elefante representa estabilidad mental y equilibrio emocional. Capacidad para resistir los momentos difíciles a pesar de su duración. Sin embargo, si en tu sueño el elefante representa un riesgo para tu integri-  dad, ya sea porque te ataque o te sientas amenazado con su presencia, indica que estás preocupado por tu habilidad para sortear las dificultades o sientes que las responsabilidades que asumiste son demasiado pesadas para ti.

Embarazo

Para una mujer, el sueño en el que se ve a sí misma embarazada representa directamente un deseo o disponibilidad de dar luz a algo, ya sea a un bebé o, en un sentido más simbólico, una idea, un proyecto o una vida nueva. Hay aspectos positivos dentro de ti que están en formación. En términos generales, es un sueño con muy buenos augurios; sin embargo, si la mujer que se sueña embarazada es virgen, es un anuncio de que será calumniada y su reputación resultará afectada; un segundo significado de este sueño es un temor escondido al sexo que no se atreve a aceptar. Perder un bebé significa un temor inconsciente de no cumplir con las expectativas de los demás, mala suerte o inseguridad respecto a tu capacidad para alcanzar tus metas. Si en el sueño estás embarazada o ves a una mujer embarazada con un semblante alegre, significa prosperidad y buena suerte, pero si tú o la mujer que sueñas tiene un semblante triste, es un indicio de pérdidas económicas.

Enciclopedia

Soñar que consultas una enciclopedia tiene un significado muy directo: aspiraciones intelectuales muy elevadas y confianza en tus capacidades académicas. Sin embargo, si sueñas que buscas algo en una enciclopedia sin lograr encontrarlo, indica que necesitas apoyo financiero en tus negocios. Por el contrario, buscar algo concreto y encontrarlo es un presagio de que todo irá bien en tus negocios.

Enemigo

Soñar con enemigos es una alerta para que tengas cuidado extremo de no cometer errores que podrían llevarte a situaciones muy incómodas o de consecuencias funestas en tu trabajo. En general, el sueño en el que identificas enemigos está relacionado con cuestiones laborales. Ser vencido por tus enemigos indica un riesgo muy alto de fracasos en los proyectos que estás llevando a cabo. Si sueñas que los vences, es un presagio de buenos augurios, saldrás adelante y mejorará tu posición en el trabajo. Si en tu sueño aparece tu jefe como enemigo, corres el riesgo muy real de perder su apoyo. Hay un simbolismo más íntimo y personal en soñar con enemigos: significa una lucha interna contigo mismo, debates interiores, conflictos con ideas que te cuesta asumir y lucha para alejarlas. En este sueño el enemigo eres tú mismo.

Enfermedad

Un sueño muy directo que te alerta sobre un descuido general de tu salud. Sabes que estás abusando de tu resistencia y lo proyectas en este sueño. También significa preocupaciones relacionadas con una incapacidad para aceptar o adaptarte a los cambios, en este caso lo que el sueño refleja es un deseo de refugiarte en la enfermedad. La cama es un lugar al que escapas de tus compromisos. Soñar con una dolencia en una parte concreta de tu cuerpo es un aviso que no debes descartar. Acude al médico.

Engaño

Soñar que engañas a alguien simboliza un profundo deseo de alcanzar una meta o un objetivo sin importarte los medios que vas a usar. Lograrás tu deseo, pero luego sentirás remordimientos. Si sueñas que te engañan, revela tu temor de ser usado para fines contrarios a tus deseos. Te verás obligado a hacer algo contra tu voluntad. Soñar que tu pareja te engaña es un mal augurio, presagia una fundada falta de confianza y una ruptura o separación que te dolerá.

A Robert Louis Stevenson le llegó por medio de un sueño la historia del *Doctor Jeckyll y Mr Hyde.* Es muy común que los escritores declaren que muchas de sus ideas se formaron en sus sueños. También se dice que *Frankenstein,* de Mary Shelley, nació por un sueño que ella tuvo.

Entierro

Soñar con un entierro significa que hay sentimientos que deseas borrar, situaciones de las que quieres escapar o relaciones que quisieras cancelar. El simbolismo es claro: tu sueño es un indicio de enterrar aquello que te aflige. Necesitas dejar atrás lo viejo y verte en un entorno nuevo y más vital. Soñar que asistes al funeral de alguno de tus padres no es un presagio de muerte, ese sueño sólo te indica que ansías libertad e independencia de ellos. Soñar que asistes a tu propio entierro no significa que tu vida esté en peligro, pero sí un temor a la muerte. Estás pasando por una difícil etapa emocional y te

sientes vulnerable.

Ensalada

Si sueñas con comer una ensalada, significa que necesitas expresar mejor tus sentimientos y admitir las influencias positivas

en tu vida para crear crecimiento personal. Soñar con ensalada también puede significar que buscas la naturaleza y la salud.

Entrevista

Soñar que asistes a una entrevista laboral simboliza una inquietud fundada de perder el trabajo. El sueño te indica que estás siendo negligente con tus deberes y eso puede tener consecuencias. Si en tu sueño el entrevistador está de mal humor o te hace preguntas agresivas, significa que tomas muy en cuenta las opiniones de los demás y te sientes vulnerable ante ellos.

Escalera

Subir por una escalera es un buen presagio, mientras que bajar por ella es de mal augurio. Si sueñas que subes los peldaños de una escalera, estás en camino de obtener logros que te llevarán a escalar socialmente. También es común soñar que se sube por una escalera hacia el cielo, lo que indica que pronto habrá cambios profundos y muy positivos en tu vida. Subir por una escalera de madera indica la posibilidad de oportunidades que no debes desaprovechar. Soñar que bajas una escalera te presagia una mala época en varios niveles de tu vida, la mala suerte te va a perseguir y obstaculizará todos tus esfuerzos por salir adelante en el trabajo o en una relación. Soñar que caes de una escalera presagia engaños y traiciones. Estás rodeado de envidias, así que mantente alerta.

Esclavo

Soñar que eres un esclavo significa negligencia e inmadurez para asumir las responsabilidades que te presenta la vida. Temor de no ser capaz. Si sueñas que esclavizas a alguien, es un indicio de que sabes que estás obrando mal y sientes remordimientos, pero no quieres reconsiderar tu postura.

Escorpión

Soñar con un escorpión tiene un rico significado relacionado con fertilidad. Hay una disposición muy intensa de tu parte para aprovechar todas tus habilidades en la consecución de las metas que has establecido. Es el mejor momento de tu vida para salir adelante. La creatividad está al máximo y te muestra caminos que jamás habías soñado. Sin embargo, si sueñas que un escorpión te pica, refleja tus inquietudes por  las consecuencias que puedan traer algunas opiniones negativas que otras personas han expresado contra ti en la vida real.

Escuela

Inseguridades. Soñar que vas a una escuela indica deseos de escapar hacia épocas más gratas para ti. Te parece que la vida es dura y buscas un refugio en los recuerdos de la infancia. El sueño también puede tener un doble significado: por una parte el deseo de evasión, que se contrarresta con la conciencia que tienes de que estás aprendiendo de tus nuevas experiencias, estás recibiendo lecciones en la vida real que te ayudarán a eliminar el sentimiento de evasión.

Escultura

Soñar con una escultura indica vanidad. Deseas verte mejor, tener una apariencia más agradable a los ojos de los demás. Hay desprecio de los valores interiores y una valoración excesiva de la imagen.

Espejo

El simbolismo del espejo en los sueños es muy rico. En casi todos los casos el espejo es una imagen de ti mismo. Denota la forma en que te percibes o el modo en que crees que te ven los demás. Sin embargo, el espejo no tiene que ver con tu imagen física, que es la que comúnmente se refleja, sino con tu ser interior. Soñar que te miras fijamente en un espejo indica un deseo de explorar tus sentimientos y tus ideas, estás en una etapa de introspección y quieres conocerte mejor.

Sueños específicos:
* Romper un espejo en un sue-

ño simboliza romper la imagen que proyectas hacia el exterior y un fuerte deseo de reconstruirte como persona.

* Soñar que te miras fijamente en un espejo empañado o que te devuelve una imagen poco clara refleja dudas, hay un conflicto interior entre lo que crees y lo que deseas creer. También indica que has perdido la fe o convicciones muy fuertes y no hay nada que las sustituya.

* Si una persona enferma sueña que se mira en un espejo, es un presagio de muerte.

* Si una persona sana ve un espejo roto en el suelo, indica que pronto morirá un ser querido.

* Si te miras en un espejo y lo que ves no es tu imagen sino la de alguna otra persona, significa que no estás contento con tu vida y desearías vivir la vida de otro, apropiarte de ella.

* Verte en un espejo con gestos tristes anuncia penas y desilusiones, pasarás por una etapa de soledad o dolorosa introspección. Si te ves envejecido, el presagio es de enfermedad o pérdidas económicas.

Esqueleto

Soñar con un esqueleto indica un periodo de depresión. Has perdido las ilusiones y las esperanzas. Pasarás por una temporada de pesimismo. Desconfianza hacia los demás.

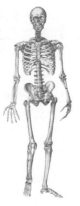

Estación

Soñar que estás en una estación indica soledad y aislamiento. Te sientes incomprendido y aun en compañía el sentimiento de soledad no te abandona. Sin embargo, si sueñas que esperas un tren o un autobús y éste llega, significa que las preocupaciones que te abruman son infundadas y que todo saldrá bien. Si se retrasa o no llega, habrá un periodo de dudas y tendrás que aplazar por un tiempo el cumplimiento de tus deseos.

Examen

Soñar que te presentas a un examen puede representar tu temor por asistir a una prueba escolar

o laboral y eso se proyecta en tu sueño. También puede reflejar inseguridades e inquietudes respecto a no estar preparado para llevar a cabo las tareas que tienes delante o no satisfacer las expectativas de los demás.

Excrementos

Soñar con excrementos indica una mala racha en todos los aspectos. Si tienes dificultades en tu trabajo, éstas se agravarán. Tu economía también está en ries-go y puedes perder tus recursos. Anuncia conflictos familiares, separación de gente querida, incomprensión y peleas. Si en el sueño te ves manchado con excrementos, es un mal augurio que indica que te verás expuesto y ridiculizado.

Explosión

Soñar con una explosión es un mal augurio. Indica tensiones, sientes que las energías que te rodean son negativas y te afectan en tus esfuerzos por mejorar aspectos de tu vida en los que estás trabajando. Peleas, conflictos familiares y dificultades económicas. Una explosión en un sueño también significa acontecimientos o situaciones que no esperas y te llegarán repentinamente, sin que estés preparado para reaccionar a ellas. Si algo explota y resultas herido, significa que sufrirás acusaciones, justas o injustas, pero de las que no podrás defenderte.

Factura

Soñar con una factura indica una clara preocupación por asuntos económicos. También es un anuncio de situaciones de las que aún no tienes conocimiento y que te afectarán negativamente. Inseguridad laboral, conflictos que no podrás resolver y presagios de ruina.

Falda

Para un hombre, soñar que lleva puesta una falda significa temor a verse expuesto y ridiculizado. Hay algo en su vida real de lo que se avergüenza y no desea que se difunda. Sin embargo, ver una falda de buena calidad, bonita y en buen estado, indica un romance. Tendrás alegrías en el terreno emocional. Si la falda está sucia significa decepciones. No lograrás concretar un encuentro amoroso que estás deseando tener. Una falda larga es un símbolo de recato y decencia, pero también puede indicar hipocresía y mentira. Debes cuidarte de una mujer que no está siendo sincera contigo. Si una mujer sueña con una falda significa que teme ser malinterpretada por los hombres.

Familia

Soñar con tu familia indica directamente una preocupación por alguno de sus miembros. Si en tu sueño tu familia se ve alegre, es un anuncio de felicidad y plenitud, todo irá bien en el hogar. Soñar que contemplas a una familia feliz, pero que no es la tuya te presagia un futuro tranquilo, prosperidad y armonía. También es un augurio de que tendrás éxito social y económico.

Feria

Soñar que te encuentras en una feria es un buen augurio, pues te anuncia que los malos tiempos ya han pasado y has podido superarlos. También significa que tienes la actitud correcta para alcanzar tus metas. Energía y vitalidad, fe y optimismo.

Feto

Soñar con un feto es un buen augurio en términos generales. Significa el nacimiento de nuevas ideas que darán fruto, también la aparición de proyectos que cambiarán tu vida y te alejarán de las preocupaciones. Sin embargo, si en el momento del sueño estás teniendo dificultades con tu pareja, significa diferencias irreconciliables y una muy probable separación.

Fiebre

Soñar que tienes fiebre indica un estado de ánimo negativo. Rabia o impotencia. También representa odios muy profundos que debes sanar para poder volver a experimentar la paz.

Fiesta

Soñar que estás en una fiesta es un indicio de

140

Cada mañana, cuando despierto, recuerdo sueños y los grabo o los escribo. A veces me pregunto si estoy dormido o si estoy soñando. ¿Estoy soñando ahora? ¿Quién puede saberlo? Nos soñamos unos a otros todo el tiempo. Berkeley afirmaba que Dios era quien nos soñaba. Tal vez tenía razón... ¡pero cuán tedioso para el pobre Dios! Tener que soñar cada grieta y cada mota de polvo en cada taza de té y cada letra en cada alfabeto y cada pensamiento en cada cabeza. ¡Debe estar exhausto!

Jorge Luis Borges

cosas buenas, todo te sonreirá y disfrutarás de felicidad y sensaciones agradables. Soñar que estás en una fiesta de disfraces significa falsedad e hipocresía por parte de tus amistades. Si en tu sueño apareces feliz y bailando con alguien, significa que pronto llegará la persona ideal a tu vida. Si ya estás comprometido, soñar que bailas significa una boda en un futuro muy cercano. Si la fiesta es aburrida y la estás pasando mal, significa que dudas de tus habilidades sociales.

Flor

Soñar con flores tiene un simbolismo de plenitud espiritual, compasión, simpatía por los demás y buena disposición hacia tus necesidades. Estás pasando por una etapa de comprensión e identificación con tus semejantes. Soñar con flores es una expresión de amor y felicidad. También indica que estás en un momento muy apropiado para aprovechar todas las enseñanzas espirituales y asimilarlas a tu yo interior. Soñar con flores muertas o marchitas anuncia momentos de tristeza o un periodo de enfermedad. Si sueñas con flores blancas es un símbolo de soledad y añoranza. Si en tu sueño alguien te regala un ramo de flores, significa que te sabes estimado y que los demás reconocen tus cualidades y te respetan.

Soñar que recoges flores del campo o de un jardín indica que recibirás las recompensas que estás esperando por tus esfuerzos y te irá muy bien económicamente. También significa que te llegarán oportunidades inesperadas. Sorpresas agradables.

Flota

Soñar con una flota indica deseos de aventura, inclinación a cambiar de vida. Si la flota navega en un mar tranquilo, el sueño te indica que es el momento de ir hacia nuevas oportunidades.

Fotografía

Soñar con fotos de tiempos pasados indica añoranza y deseo de revivir momentos felices. Sentimientos de evasión debido a que no te gusta la forma en que vives actualmente. Si en tu sueño contemplas la foto de alguien conocido, significa que esa persona  guarda un secreto o, bien, que desea revelarte algo.

Frente

Soñar con una frente fruncida indica preocupaciones y dificultades para pensar en soluciones adecuadas. Inseguridad respecto de tus facultades intelectuales.

Fruta

Soñar con fruta significa que se acerca un periodo de crecimiento, abundancia e ingresos financieros. En los sueños la fruta generalmente representa el deseo y la sexualidad.

Los sueños previenen la psicosis: En estudios recientes se ha demostrado que a las personas que se les despierta justo cuando empiezan a soñar, pero que aun así duermen sus ocho horas, experimentan dificultades de concentración, irritabilidad, alucinaciones y signos de psicosis después de sólo tres días.

Fuego

Soñar con fuego puede significar tanto destrucción como transformación. También indica sentimientos muy fuer-

de iluminación, se destruye lo que te hace daño y experimentas purificación. El mal augurio contenido en este sueño indica que te dejarás llevar por tu carácter y provocarás conflictos, te verás involucrado en peleas

tes, pasiones incontrolables o problemas que te agobian y te queman por dentro. En sentido positivo, soñar con fuego indica que sobrevendrá un periodo

y complicarás tu vida. El fuego también simboliza coraje para realizar cosas nuevas, motivación para alcanzar metas que te considerabas incapaz de alcanzar. Si sueñas que enciendes una hoguera, el significado es que tus fuerzas se verán incrementadas, conocerás tu verdadero potencial. También anuncia viajes o visitas inesperadas.

Fuerza

En sentido positivo, confianza en ti mismo, reconocimientos inesperados de los demás. En sentido negativo, enemigos que pueden obstaculizar tu camino hacia el éxito.

Fumar

Soñar que fumas se relaciona con una preocupación por tu estado de salud tanto como por riesgos financieros. En sentido literal, el sueño proyecta tu inquietud de que todo se convierta en humo. Pero verte fumando también tiene una interpretación positiva: indica tu disponibilidad para aprender nuevas lecciones y aceptar opiniones de los demás.

Funeral

Soñar con un funeral es un símbolo de cambio y de inicio de algo importante, también está relacionado con sentimientos que consideras impropios y deseas borrarlos, los entierras simbólicamente. Cancelación de etapas, abandono de relaciones perjudiciales. El simbolismo es claro: tu sueño es un indicio de enterrar aquello que te aflige. Necesitas dejar atrás lo viejo y verte en un entorno nuevo y más vital. Soñar que asistes al funeral de alguno de tus padres no es un presagio de muerte, sólo te indica que ansías libertad e independencia de ellos. Soñar que asistes a tu propio funeral revela temor a la muerte, aun cuando tu vida no corra peligro. No es un anuncio de muerte, sólo indica que estás pasando por una difícil etapa emocional y te sientes vulnerable.

Futbol

Juego y alegría, tiempo libre, objetivos cumplidos sin mucho esfuerzo, metas alcanzadas. Es un sueño que refleja tu bienestar emocional.

Futuro

Soñar con el futuro indica una fuerte presión por alcanzar tus metas lo antes posible. Te sientes con fuerza para construir una vida plena. En otro sentido representa tus inseguridades, pero sólo como una advertencia de los puntos débiles de tus planes. Conocimiento y claridad.

Gafas

Soñar con gafas significa temor a la decadencia física, pérdida de facultades. También indica un profundo egoísmo y desprecio a los demás. Si sueñas que tus gafas se rompen, es un anuncio de una mala temporada financiera.

Gallina

Soñar con una gallina muerta indica conflictos familiares. Una gallina viva, por el contrario, es presagio de buenos tiempos, armonía y felicidad.

Ganso

Soñar con un ganso significa sorpresas inesperadas. Conocerás a alguien muy interesante o tendrás un viaje a un lugar exótico.

Gato

Soñar con un gato tiene interpretaciones muy ricas y variadas. En general, es un signo de buena suerte. Incluso soñar con un gato negro, a diferencia de la fama que tienen en la vida real, es por el contrario un presagio positivo. La presencia de un gato en un sueño indica cualidades a resaltar, todas ellas relacionadas con lo femenino. Por ejemplo, si un hombre sueña con un gato, en general significa que debe empeñarse en cultivar atributos de su personalidad contrarios a la autoridad, la agresividad, el control y la dominación. Debe tratar de suavizar su carácter para mejorar su vida.

Sueños específicos:
* Soñar que acaricias a un gato indica un fuerte deseo sexual.

* Un gato que te ataca y te araña es un aviso de problemas con alguna persona que te considera su enemigo.
* Un gato que cruza por una estancia o una ventana es un presagio de buena suerte, grandes éxitos económicos y posiblemente hasta fama.
* Si das de comer a un gato en tu sueño, es una advertencia de que tendrás tentaciones, tratarán de seducirte y estás en riesgo de ser infiel a tu pareja.
* Matar a un gato anuncia que vencerás en una lucha y te desharás de un enemigo.
* Escuchar maullidos de gato es un presagio de malas noticias o de que algo malo va a ocurrirte.
* Ver a un gato flaco o sucio también es un mal augurio.

Globos

Soñar con globos simboliza una actitud negativa de tu personalidad, sobre todo relacionada con prepotencia y arrogancia. El amor puede verse obstaculizado a causa de estos elementos. Soñar con globos, aun si son coloridos, no indica festejos ni alegrías, sino melancolía, tristeza y hasta depresión. El subconsciente te está señalando que debes cuidar tu interior, no dejar que se marchite. Los globos blancos significan un fuerte deseo de recuperar la inocencia, mientras que los globos negros anuncian tiempos tristes. Soñar que un globo explota indica tensiones sin resolver, lo mismo que frustración por causa de un deseo no realizado.

> **Dijo Platón que los buenos son los que se contentan con soñar aquello que los malos hacen realidad.**
>
> *Sigmund Freud*

Golpear

Soñar que golpeas a alguien es una proyección de ira, sentimientos fuertes y violentos que reprimes en la vida real. En términos generales, este sueño indica represión de sentimientos negativos que no sabes cómo encauzar o controlar.

Gorila

Soñar con un gorila expresa sensaciones de fortaleza y poder. Te sientes capaz de todo y no necesitas a nadie para lograr lo que quieres, pero en el proceso te desentiendes de las necesidades de los demás, lo que provoca rencores y resentimientos en tu contra. Tu actitud te impedirá conseguir tus objetivos o retrasará su cumplimiento.

Granja

Soñar con una granja representa deseos de tener una vida más al natural. Seguramente estás sometido a una gran presión y escapas en tu sueño hacia paisajes tranquilos y apacibles. Una granja también indica que tu espíritu necesita alimento y cuidados. Desarrollo personal y crecimiento espiritual.

Grillo

Soñar con grillos es un mal augurio que simboliza precariedad emocional y carencia de

recursos económicos. Se acerca una etapa muy difícil en la que tendrás que enfrentarte a la pobreza.

Guitarra

Una guitarra afinada y con sonido armonioso anuncia momentos felices, alegrías explosivas y, en general, bienestar emocional.

Disposición anímica para emprender proyectos porque todo te saldrá bien.

Gusanos

Soñar con gusanos es un mal augurio que presagia infortunios, esfuerzos inútiles, proyectos inconclusos o fracasados, enfermedades. También indica una fuerte inclinación por las cosas materiales en detrimento de valores más importantes y perdurables. Malas decisiones y malas elecciones. Pensamientos y actitudes negativas.

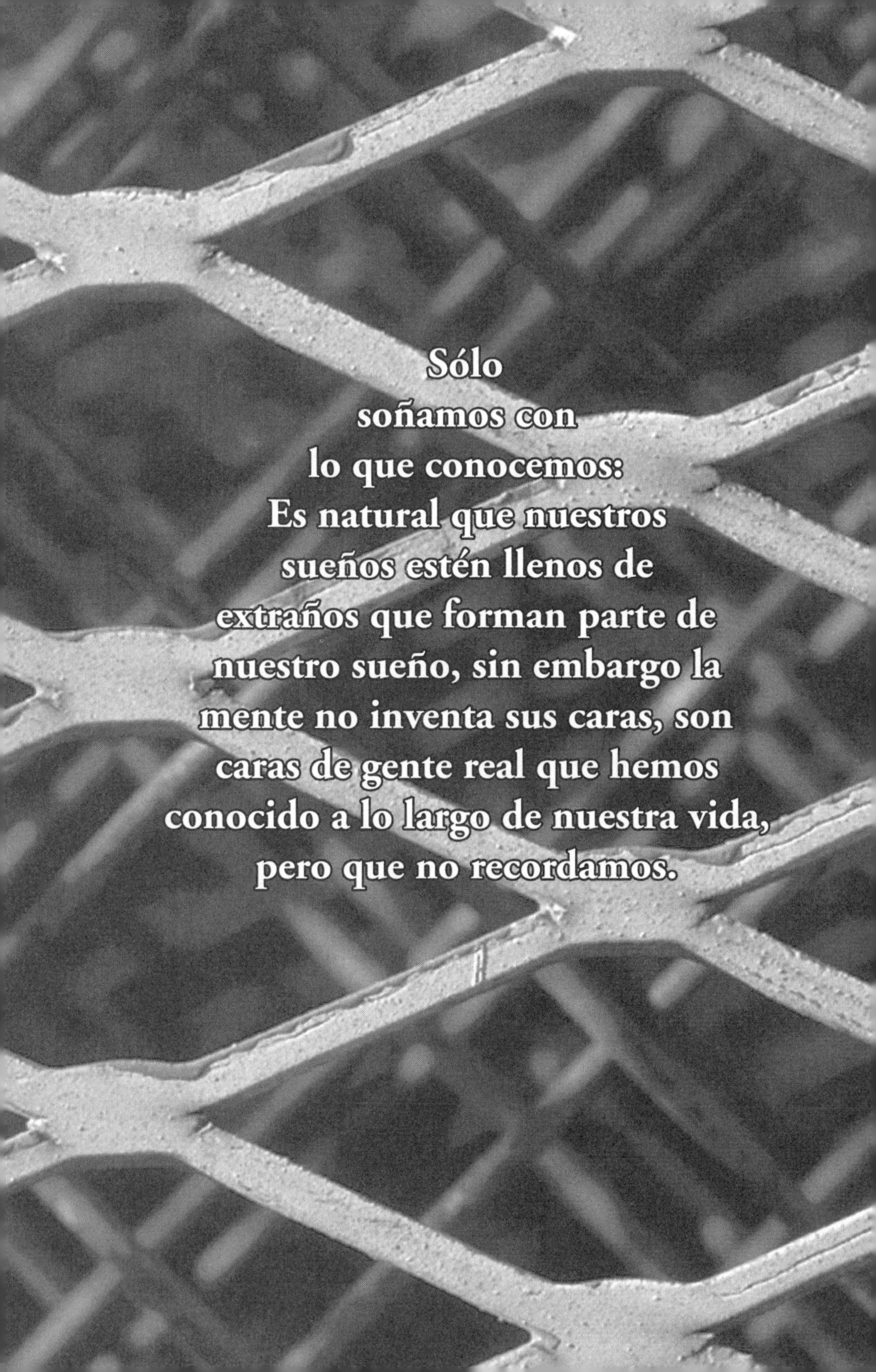

Sólo
soñamos con
lo que conocemos:
Es natural que nuestros
sueños estén llenos de
extraños que forman parte de
nuestro sueño, sin embargo la
mente no inventa sus caras, son
caras de gente real que hemos
conocido a lo largo de nuestra vida,
pero que no recordamos.

H

Hacer el amor

Este sueño está relacionado con la sexualidad, ya sea respecto a tus ideas sobre el sexo o a una necesidad oculta de expresarte en términos físicos. El sueño tiene un significado general de represión de tus sensaciones, dudas sobre el sexo, los vínculos afectivos y el matrimonio. En determinados sueños, el simbolismo es todo lo contrario, pues expresa alegría de vivir y plenitud en todos los sentidos.

Sueños específicos:
* Soñar que haces el amor en público indica insatisfacción sexual, ya sea porque no atiendes este aspecto de tu vida o bien porque no te sientes bien con la apariencia de tu cuerpo. También es un indicio de falta de amor en tu vida.
* Soñar que haces el amor con tu pareja indica satisfacción y confianza en tu relación.

* Si en tu sueño contemplas a una pareja de enamorados haciendo el amor, significa ansiedad y envidia en aspectos personales de tu vida, pero también es un augurio de éxito en el plano económico y buena suerte.

* Soñar que haces el amor con un amigo representa la atracción que sientes por él, pero también una fuerte posibilidad de que se te conceda un deseo que no tiene nada que ver con la sexualidad.

* Si en tu sueño aparece un antiguo amante, significa que el ciclo con él no está cerrado y esto es un obstáculo para establecer una relación de pareja satisfactoria o un obstáculo para desarrollar tus afectos a plenitud con tu pareja actual.

Hada

Soñar con un hada representa deseo de ternura y compañía, también felicidad y sueños cumplidos. En general, una mujer que sueña con hadas se siente realizada en su feminidad. Sin embargo, soñar con un hada triste es un mal augurio, pues advierte sobre malas noticias y pérdidas afectivas o económicas.

Halcón

Soñar con un halcón significa éxito y prosperidad, metas alcanzadas y sueños realizados, sin embargo, tu suerte será motivo de envidias.

Hambre

Soñar que tienes hambre puede tener un significado muy simple. En tu sueño expresa la necesidad de comer. Pero en otros sentidos este sueño también representa tus ambiciones y tu deseo de crecer y obtener logros importantes. Aspiraciones elevadas a nivel material o espiritual.

Helado

Soñar con comer o ver un helado representa placer y satisfacción con tu vida. También simboliza la buena suerte y el éxito en el amor. Si el helado en tu sueño no tiene sabor, significa decepción y tristeza. Si sueñas que el helado se derrite, representa una sensación en tu vida real de que eres incapaz de realizar tus deseos y esperanzas.

Helicóptero

Soñar con un helicóptero implica deseos de vivir una vida más arriesgada, dejarse llevar sin pensar demasiado en las consecuencias, abandonar la prudencia a favor de la espontaneidad. También expresa nuevas ambiciones, la necesidad de tener metas más altas. Expansión de la conciencia.

Herida

Soñar con una herida expresa malestar a nivel físico, emocional o mental, también es un augurio de mala suerte y un periodo de conflictos por causas ajenas a ti. Te verás involucrado en peleas sin motivo. Soñar con una herida abierta que se cura indica que los problemas pasarán pronto.

Hermano

Soñar con un hermano indica preocupación a nivel subconsciente por él o algún otro miembro de tu familia. Pero en general es un sueño de buen augurio. A nivel personal, indica que las rivalidades familiares se acabarán y reinará la armonía. A nivel más amplio simboliza aspiraciones de alimentar y cultivar tu espíritu. Un hermano en un sueño es un aviso de que estás descuidando este aspecto. Si no tienes hermanos y sueñas con uno, refleja tu deseo de fraternidad. Si en el sueño tu hermano refleja pobreza o problemas económicos, es probable que sufras una pérdida o recibas la noticia de la muerte de un ser querido.

Hielo

Soñar con hielo significa esfuerzos y energías derrochados en vano. Tus esperanzas se esfumarán. Soñar que viertes unos cubos de hielo en un vaso es un aviso que tu subconsciente hace para que aproveches mejor el tiempo y no lo malgastes. Soñar con una montaña nevada es un buen augurio; serás reconocido en tu trabajo y recompensarán tus méritos.

Hijo

Soñar con un hijo tiene dos significados básicos, el más directo está relacionado con tu preocupación por él. Tienes motivos para creer que corre algún tipo de riesgo, no necesariamente grave, o bien que su conducta no es buena y te traerá problemas. El otro significado es más general, representa los ideales y aspiraciones de tener una familia feliz.

Hojas

Soñar con hojas en un bosque indica felicidad, sientes que estás pasando por una etapa muy satisfactoria en tu vida. Si las hojas son verdes y lozanas, refleja tu confianza en la vida. Todo te sonríe y te sientes con fuerza para avanzar hacia la vida

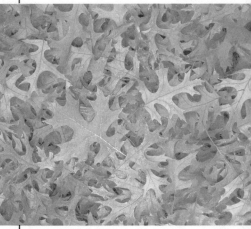

que has deseado siempre. Las hojas de otoño simbolizan sabiduría adquirida y crecimiento personal. Las hojas marchitas indican angustia o un anuncio próximo de la pérdida de un ser querido.

Hombre

Si una mujer sueña con un hombre, el significado es que está consciente de estar desarrollando atributos masculinos en su personalidad, como la autoridad, la capacidad de decisión, pero también conductas agresivas y actitudes competitivas demasiado intensas. También es un sueño que refleja necesidades afectivas, el deseo de tener a un hombre a su lado.

Sueños específicos:

* Soñar con un hombre conocido indica preocupación por él, aunque también puede ser sólo una proyección de añoranza por esa persona.

* Soñar que abrazas a un hombre es una forma de expresar sensaciones sensuales reprimidas.

* Soñar con un hombre mayor indica una disposición a aprender valores que antes has desdeñado, pero también puede significar profundos sentimientos de soledad.

* Soñar con un hombre bien parecido es un buen augurio, pues te anuncia que lograrás alcanzar la prosperidad. También es una proyección de lo que consideras realmente como un hombre ideal. Encuentros agradables y sorpresivos, éxito en el amor. Un hombre de aspecto desagradable indica decepciones y conflictos.

Hormigas

Soñar con hormigas significa esfuerzos laborales intensos, colaboración en equipo que tendrá buenos resultados. Te augura éxito en tus actividades

profesionales y satisfacción personal.

Hospital

Soñar con un hospital indica tensiones físicas o emocionales, también simboliza tu deseo de curar o mejorar tu salud física o mental. Debes volver al ritmo de una vida normal y cotidiana. Si sueñas que eres ingresado en un hospital, el sueño te está advirtiendo que vigiles tu salud, pues podrías sufrir una pequeña enfermedad sin importancia. Soñar que visitas a alguien en un hospital es un anuncio de que tú o alguien cercano perderá la salud pasajeramente.

Hotel

Soñar con un hotel es un aviso de que te verás sometido a una fuerte tentación para iniciar una aventura prohibida. También indica renovación a nivel mental o de forma de vida.

Huevo

Soplan vientos renovadores en tu vida que traerán felicidad y armonía. Un huevo roto significa que por fin se abatirán los obstáculos que impiden tu camino al éxito.

Huida

Huir en un sueño indica tu necesidad real de escapar a situaciones que te abruman, lo mismo que el deseo de liberarte de personas que te están haciendo daño. También significa una actitud derrotista, darte por vencido ante situaciones que implican un reto que te cuesta asumir. Deseos irreales de que los problemas desaparezcan solos.

Huracán

Soñar con un huracán indica conflictos que superan tus fuerzas, problemas personales que no puedes solucionar por ti solo. El sueño te indica que debes pedir ayuda y rodearte de personas de confianza para atravesar los momentos difíciles con una sensación de apoyo.

En muchas culturas se atribuye un valor profético al sueño, concebido como un mensaje cifrado de origen divino que es necesario desentrañar. Esta creencia se encuentra, por ejemplo, en la Biblia (donde José interpreta los sueños del Faraón: Génesis 41:1-36). En Grecia la oniromancia fue una actividad habitual: aún hoy se conserva un manual de interpretación de sueños, el de Artemidoro, del siglo II d.C.

Iglesia

Soñar con una iglesia es un símbolo de necesidades espirituales no satisfechas. También indica un anhelo de encontrar paz y serenidad en tu vida. Hay movimientos interiores, malestar con tu sistema de creencias. Deseas encontrar algo firme en lo cual apoyarte para planear tu vida. Si en el sueño contemplas una iglesia desde fuera, indica una fuerte inclinación a los valores materiales. Te cuestionas sobre ellos y quieres encontrar una fe en algo más valioso. Si estás dentro de una iglesia, significa que tienes clara tu fe pero necesitas de consuelo espiritual. Dudas y cuestionamientos profundos acerca del significado de tu vida.

Impotencia

Soñar que eres impotente tiene un simbolismo muy claro y directo: indica tu temor a perder posiciones de autoridad o inquietud sobre tu fuerza para alcanzar esas posiciones. Es común que sueños de esta clase se presenten cuando te ofrecen proyectos que no crees tener capacidad para llevar a cabo.

La gente que ha dejado de fumar, tiene sueños más vívidos. Personas que han fumado por mucho tiempo y lo han dejado, reportan sueños mucho más intensos de lo normal.

Indígena

Soñar con un indígena significa que estás siendo sometido a presiones perturbadoras en el ámbito familiar o social, pero el presagio es favorable. El sueño indica que te preocupas en vano. Todo saldrá bien. Si en el sueño sientes temor por el indígena, te verás obligado a confrontar problemas, pero fáciles de resolver.

Incendio

Soñar con incendios tiene un significado general relacionado con sentimientos muy fuertes. Puede indicar pasión en lo que haces, entrega absoluta a pro-yectos o personas, pero también coraje, una ira reprimida que se proyecta a través de tu sueño.

Sueños específicos:
* Soñar con una casa que se incendia indica un enojo muy grande porque sientes que te quieren arrebatar algo o alguien que consideras tuyo. Sensación de impotencia. Pero si logras apagar el fuego, el sueño te indica que debes luchar porque al final saldrás vencedor, aun cuando esto represente mucho empeño y esfuerzo.
* Si sueñas que provocas un incendio de manera deliberada o accidental, significa que estás pasando por una etapa tormentosa en tu vida, tal vez relacionada con malos negocios, pero también por causas sentimentales. En algunos sueños, dependiendo de las circunstancias en que se encuentre tu vida per-

sonal, provocar un incendio indica una rabia muy intensa. El subconsciente la representa en tu sueño para ayudarte a liberar la presión, de ese modo podrás pensar antes de actuar de manera insensata guiado por sentimientos ciegos.

* Si en tu sueño tratas de apagar un incendio y las llamas no te queman, indica que las dificultades a tu alrededor no te afectarán.

Infancia

Soñar con la infancia tiene un simbolismo de evasión. Es un periodo de libertad y ausencia de obligaciones y compromisos. Tal vez te sientes abrumado con tus responsabilidades actuales y deseas volver a una época en la que estabas libre de ellas. También representa la inocencia y, en este sentido, el sueño indica un deseo de purificación provocado por remordimientos. Deseas liberarte de malas actitudes o sentimientos contaminados.

Infarto

Soñar con un infarto indica muy directamente un temor, por

lo general fundado, por tu salud. Debes atenderte o cuidarte mejor. En otro sentido, soñar con un infarto significa que te sientes aislado en tus esfuerzos, ya sea de índole laboral o sentimental. Quisieras tener a tu lado a gente que te apoye. Soledad y ausencia de afectos.

Infidelidad

Soñar con infidelidad tiene un simbolismo muy directo. Si sueñas que eres infiel, significa que el afecto que sientes por tu pareja no es muy firme y pasas por un periodo de dudas y hay una tendencia latente a caer en tentaciones con alguna otra persona. Quieres revivir el romance y el sentido del amor que has perdido. Este sueño también está relacionado con la búsqueda de emoción y aventura. Remordimientos, sensación de culpabilidad e insatisfacción, tanto como decepción. No acep-

tas en tu interior que la relación no funciona debido a incompatibilidades muy fuertes. Si sueñas que tu pareja te es infiel, refleja inseguridad en ti mismo, temor de no satisfacer las expectativas de la otra persona.

Infierno

Soñar con el infierno indica temores relacionados con no estar a la altura de las circunstancias que te plantea la vida. Remordimiento y sentido de culpa por no saber aprovechar las oportunidades. Sientes el deseo de castigarte por no ser adecuado ni lo suficientemente capaz. Miedo de perder el control sobre aspectos fundamentales de tu vida.

Insectos

Soñar con insectos tiene una gran variedad de significados. Pueden representar buenos augurios en la forma de mensajes inesperados y agradables, presagios de mejoras financieras o misterios que serás capaz de resolver en tu vida real. Pero también son anuncio de conflictos y preocupaciones. Soñar con moscas indica dificultades para alcanzar la felicidad o las metas que te has propuesto. Si sueñas que matas a una mosca, significa que tendrás oportunidad de reparar tus errores.

Inundación

Soñar con una inundación simboliza la dificultad para enfrentar los retos. Sientes que las responsabilidades te abruman. También indica que tu vida emocional está soportando tensiones que ya no puedes resistir y se desbordan. Crisis de pareja, conflictos familiares, enfermedades y problemas legales.

Invierno

Soñar con el invierno es un buen augurio. Indica tranquilidad, sensación de que tu vida está resuelta y sabes que tu futuro está

resuelto. También presagia la aparición de nuevas amistades, o bien que algunas personas de las que estás separado, y por las que sientes afecto, volverán a tu vida.

Invisible

Soñar que eres invisible significa que tienes la sensación de que los demás no te toman en cuenta o no reconocen tus cualidades. También indica inseguridad acerca del afecto que tus seres cercanos sienten por ti. Sentimientos de evasión.

Inyección

Soñar que te aplican una inyección tiene un claro significado de falta de autoestima. No te gusta lo que haces ni la forma en que estás viviendo. Si en tu sueño eres tú quien aplica una inyección, proyecta sentimientos hostiles hacia la persona a quien se la estás aplicando; también refleja un carácter agresivo y dominante.

Isla

Soñar que estás solo en una isla tiene el significado directo de sensación de aislamiento y soledad, pero también indica remordimiento a causa de algunos comportamientos indebidos. Soñar que estás acompañado refleja amor por la vida, un profundo sentido de alegría te acompaña.

Jabón

Soñar con jabón es presagio de buenas noticias, novedades y cambios en tu vida. Soñar que te enjabonas es un augurio de que los problemas se resolverán con tan poco esfuerzo que parecerá que se resuelven solos. Si sueñas que te enjabonas mientras te bañas, significa que las malas vibraciones desaparecerán. Tu vida será tranquila y feliz.

Jamón

Soñar con jamón es un augurio de plenitud y abundancia, pero si sueñas con jamón en mal estado, es un presagio de enfermedad. Debes cuidarte y visitar a tu médico.

Jarabe

Soñar que estás tomando jarabe significa que tu confianza está siendo infundada. Crees demasiado en ti mismo y en que las cosas te resultarán, pero no pones demasiado empeño. Al final, todo te saldrá mal y te verás muy afectado.

Jaguar

Soñar con un jaguar significa que estás en una postura de aler-

ta. Sabes que alguna persona o circunstancia en particular representa un obstáculo pero te mueves más rápido y eres más astuto. Superas los escollos y te sientes orgulloso de tu fuerza.

Jardín

Soñar con un jardín significa tranquilidad, prosperidad y una vida plena. Estás contento contigo mismo y te sientes querido. Una mujer que sueña con un jardín refleja un estado de ánimo de seguridad, sensación de estar bien protegida, rodeada por personas y valores confiables. Estabilidad, sorpresas agradables. Si sueñas que arreglas el pasto o las flores del jardín, significa buena suerte y abundancia. Soñar con un jardín rodeado por muros o paredes altas indica que tu vida está protegida, siempre contarás con apoyo y protección por parte de personas poderosas. Sin embargo, si el jardín está descuidado y lleno de flores muertas o marchitas, significa que te sientes derrotado de antemano por los problemas; también presagia una época de tristezas.

Jardinero

Soñar con un jardinero es un buen augurio. Significa felicidad y éxito. Si el jardinero está trabajando en un jardín descuidado es un indicio de que todos los problemas y conflictos se resolverán muy pronto. Te anuncia una vida llena de amor. Sin embargo, si sueñas que el jardinero trabaja en un jardín donde se levanta un árbol en el centro, significa que enfrentarás un problema de difícil o imposible solución.

Jaula

Soñar con una jaula vacía indica conflictos, peleas, engaños, decepciones y pérdidas. Si sueñas que estás prisionero en una jaula significa contratiempos y obstáculos imprevistos que te causarán muchas molestias. Si sueñas que dentro de la jaula hay pájaros, es un presagio de soledad y tristeza.

Jesucristo

Soñar que ves a Jesucristo es un augurio de que un problema o un conflicto que parecía insuperable va a resolverse. También indica que encontrarás respuestas a algunas preguntas enigmáticas. Soñar que rezas a una imagen de Jesucristo significa que la gente confía en ti y en tus capacidades. En otro sentido, este sueño revela un deseo de purificación y anhelo de tener una vida más apegada a lo espiritual.

Jirafa

Soñar con una jirafa indica que estás rodeado de amistades falsas. Si en tu sueño te llaman la atención las manchas de la piel de la jirafa, significa que tendrás que pensar mucho antes de encontrar la solución a un problema, pero al final serás recompensado con la respuesta.

Joyas

Soñar con joyas es un indicio del respeto que sientes por ti mismo y por tus cualidades. Te valoras como persona y sabes que tienes mucho que dar a los demás. Las joyas también simbolizan el deseo de tener una vida con más placeres, aventura y excitación. Soñar que encuentras alguna joya significa que la prosperidad y la abundancia llegarán pronto a tu vida. También indica progreso espiritual. En general,

es un augurio de buena suerte. Sin embargo, es un presagio de mala suerte si las joyas son hechas de marfil.

Jubilado

Soñar que te has jubilado es un presagio de cosas buenas por llegar a tu vida. Este sueño tiene un significado muy claro de que te sientes contento con tu forma de ser, tienes la concien-

¿Acaso
el sueño no
es el testimonio del ser
perdido, de un ser que se pierde,
de un ser que huye de nuestro ser,
incluso si podemos repetirlo, volver a
encontrarlo en su extraña transformación?

Gastón Bachelard

cia de que has alcanzado todo lo que considerabas importante.

Juez

Soñar con un juez significa incomodidad interior, remordimientos y sentido de culpa por una acción impropia. Soñar con un juez tiene un doble sentido: aparece para indicarte que debes juzgar tus actitudes, o bien, para aconsejarte a tomar mejores decisiones.

Juego

Soñar que realizas alguna actividad relacionada con juegos divertidos de tipo recreativo, como jugar a la pelota en la playa o retozar o correr, significa que tienes un carácter adaptable y le das importancia adecuada a los valores perdurables de la vida, como la familia, la amistad y el amor. En términos generales, esta clase de sueños indican un temperamento suave y amable.

Sueños específicos:
* Si sueñas que juegas a un juego de azar y pierdes, indica que pronto caerás en un hoyo financiero muy fuerte. Necesitarás ayuda para salir de él. Si sueñas que juegas a las cartas, indica que estás arriesgando mucho, pero también que tienes la capacidad de convencer y controlar a la gente y a las circunstancias.
* Soñar con juguetes es un anuncio de que pronto encontrarás el amor.
* Soñar que juegas con niños revela un deseo profundo de evasión de la realidad. También indica remordimientos.
* Si sueñas que juegas ajedrez o un juego similar en el que se requiere de mucha capacidad intelectual o concentración, indica que temes que tus oponentes to superen.

Juicio

Soñar con un juicio es un anuncio muy directo de problemas legales a los que tendrás que hacer frente. También puede significar que te sientes mal comprendido por la gente cercana a ti o bien que te sientes vigilado.

En otro sentido, el sueño te advierte que gente en la que confías habla mal de ti a tus espaldas.

Jurado

Soñar con un jurado tiene un doble significado: dependiendo de las circunstancias de tu vida actual, sabes que los demás te están juzgando o estás siendo muy crítico de los actos de la gente cercana a ti.

Las
personas que
sueñan cuando duermen
en la noche conocen un tipo
especial de felicidad que el mundo
de hoy no conoce, un plácido éxtasis,
y la facilidad de corazón, con miel en la
lengua. También saben que la verdadera
gloria de los sueños reside en su
atmósfera de ilimitada libertad.

Karen Blixen

L

Laberinto

Soñar con un laberinto indica agobios, problemas, confusión. Éste es un sueño muy común cuando nos sentimos abrumados por asuntos de índole familiar o laboral que representan un reto. Dificultades nuevas en tu vida a las que no sabes cómo abordar. También puede proyectar una serie de problemas que se multiplican y sientes que toda tu vida es una complicación. Peleas familiares, dificultades económicas y enfermedades.

Ladrón

Soñar con un ladrón indica un estado de ánimo muy decaído por causa de una enfermedad, una separación o un accidente. Soñar que un ladrón te roba algo es una advertencia de pérdidas materiales. Si sueñas que tú eres el ladrón, indica que estás pasando por buenos momentos en tu vida, pero crees que no los mereces o sientes que defraudarás la confianza que han puesto en ti.

Lagartija

Soñar con una lagartija indica asombro o incapacidad de reaccionar ante un problema. También

Todos los hombres y mujeres nacen, viven, sufren y mueren; lo que nos distingue unos de otros son nuestros sueños, ya sean sobre cosas espirituales o mundanas, y lo que hacemos para que estos se realicen. No elegimos nacer. No elegimos nuestros padres. No elegimos nuestra época, el país de nuestro nacimiento, o las circunstancias inmediatas de nuestra crianza. No elegimos, la mayoría de nosotros, el morir; tampoco elegimos la hora y las condiciones de nuestra muerte. Pero dentro de este reino de falta de elecciones, elegimos como vivir.

Joseph Epstein

advierte que debes estar atento de las actitudes de nuevos conocidos. No confíes tanto.

Lago

Soñar con un lago refleja estados mentales. Si el lago tiene aguas sucias o turbulentas, indica conflictos interiores, infelicidad. En cambio, si el lago está limpio, con aguas tranquilas y el paisaje es luminoso, indica que te sientes en paz contigo mismo. Si una mujer sueña que se ve reflejada en las aguas del lago, significa que tendrá una vida emocional muy agitada y sus relaciones amorosas estarán llenas de momentos apasionantes.

cada, anuncia una gran decepción.

Leche

Soñar con leche representa estados relacionados con la vida hogareña. Para una mujer soñar con leche simboliza su capacidad y su carácter materno, es bondadosa y ama a su familia. Beber leche en sueños indica satisfacción y plenitud, no hay mejor lugar para ti que tu casa, es tu refugio y tu fuente de energía e inspiración. Soñar que te bañas con leche indica la confianza

> **Realmente hay que tomarse muy en serio los sueños.**
>
> *Tadao Ando*

Lava

Soñar con lava volcánica representa alegría y exuberancia. Emociones intensas y muy positivas. Sin embargo, si la lava está ya petrifi-

que has depositado en tu familia y tus amistades, sabes que no te traicionarán. Si sueñas que bebes leche descompuesta indica conflictos sin importancia que tienen fácil solución.

León

Soñar con un león representa capacidad, fuerza y liderazgo. Sabes que tienes una gran fortaleza interior no sólo para llevar a cabo tus tareas sino también para guiar a los demás exitosamente. Sin embargo también puede simbolizar un orgullo muy intenso y un carácter descontrolado.

Sueños específicos:
* Soñar que un león te ataca indica problemas sentimentales, enfrentamiento con la pareja. También puede significar que tendrás una discusión con un superior en el trabajo. Soñar que un león te ataca y lo vences o bien que le temes y se aleja de ti, indica que podrás arrasar con todos los problemas que te planteen tus jefes. Si sueñas que estás a merced de un león, o huyes de él asustado, indica un carácter débil y fácilmente manejable, los demás se aprovechan de ti por ello.
* Soñar con leones enjaulados te advierte que debes ser diplomático para enfrentarte a tus opositores, pues sólo de esa manera te saldrás con la tuya.
* Soñar con cachorros de león es un anuncio de nuevos proyectos. Deberás ser muy cuidadoso para tener éxito en ellos.
* Si en tu sueño contemplas el espectáculo de un domador de leones, significa deseos de salir de la monotonía de tu vida, ansias de aventura.

Lesbiana

Éste es un sueño con un simbolismo muy directo, si sueñas que eres lesbiana sin serlo, indica conflictos de identidad sexual. Si en tu sueño aparece una lesbiana y sientes rechazo por ella, indica que no te sientes cómodo con tu sexualidad o te sientes amenazado por ella. Trabaja estos conflictos para aceptarte.

Limpiar

La limpieza de objetos o habitaciones simboliza tu deseo de renovación. Hay partes negativas de tu vida que deseas modificar o eliminar por completo. También indica un fuerte deseo de liberarte de viejos moldes de conducta, deseas abrirte a nuevas formas de pensamiento.

Lobo

Soñar con un lobo simboliza el deseo de deshacerte de las actividades y tareas actuales y emprender nuevos proyectos. Tu capacidad intelectual está en su punto más alto.

Locura

Soñar que estás loco simboliza un deseo intenso de escapar a la realidad, evadirte en un rincón profundo de tu mente y refugiarte contra todo lo que te amenaza en la vida real. Si sueñas que ves o hablas con un loco, indica incapacidad de discernimiento.

Lombrices

Soñar con lombrices indica
preocupación por tu dieta.
Sabes que estás comiendo
muy mal y necesitas ali-
mentarte más sanamente.
También indica preocupa-
ción por una persona cer-
cana que está enferma.

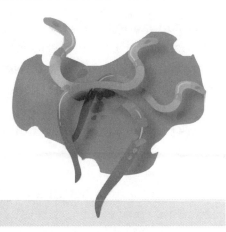

Lotería

Soñar que juegas a la lotería simboliza irresponsabilidad financiera, deseos de poseer bienes materiales sin esforzarte por ello.
También refleja los problemas económicos que tienes en la vida
real y tu deseo de que un golpe de suerte te libre de ellos. Soñar que ganas la lotería significa una ganancia inesperada que
no disfrutarás. Se te irá sin darte cuenta en qué la malgastaste.
Soñar que pierdes en la lotería significa una temporada de malos negocios, malas elecciones de proyectos o problemas en tu
trabajo.

Lucha

Soñar con una lucha física es una proyección de conflictos y debates internos muy antiguos a los que no has dedicado atención o
no has sabido cómo resolver. Deseas compartir con una persona
confiable tus problemas pero sabes que serás ignorado. Soñar que
entablas una lucha contra otra persona refleja con mayor intensidad este temor de ser marginado.

Luna

Soñar con la luna simboliza la parte femenina o romántica de tu personalidad. Para un hombre, soñar con la luna advierte de la necesidad de estar más en contacto con sus emociones básicas de ternura, bondad y amor. Tal vez estás tratando un asunto amoroso con demasiada brusquedad. Como símbolo general, soñar con la luna es presagio de grandes cambios en todas las áreas de tu vida.

Sueños específicos:
* Soñar con la luna llena indica que tus proyectos o tareas se han completado adecuadamente.
* Soñar con la luna nueva, en cambio, es un aviso de que tienes que comenzar todo una vez más.
* Soñar con un eclipse de luna significa represión de sentimientos, te estás callando el amor o el rechazo que sientes por alguien en particular. También es presagio de enfermedad.
* Soñar que estás en la luna es un indicio de incomodidad con algunos aspectos importantes de tu vida. También es un símbolo de amargura.
* Una luna que se esconde entre las nubes es presagio de tristezas por venir.

Llanto

Soñar que lloras simboliza una contención emocional en tu vida real. Las penas que te afectan afloran en forma de sueño como una catarsis. La mayoría de los hombres que nunca lloran tienen a veces esta clase de sueños, que representan una válvula de escape a sus emociones reprimidas. El llanto en el sueño también refleja una pena o una emoción que te niegas a aceptar o estás inconsciente de ella.

Aunque el llanto tiene significados específicos dependiendo de las circunstancias actuales de tu vida real, todos ellos están relacionados con tristezas, temores, penas, e incluso equilibrio emocional destrozado. Soledad, sensación de estar abandonado o ser incomprendido. Si sueñas que lloras de alegría es un presagio de que se acerca un periodo de paz y armonía. El llanto es liberador y no signo de preocupaciones. Si sueñas que ves llorar a una persona que conoces, significa que estás siendo muy duro con ella, la juzgas mal o no estás haciendo un esfuerzo por comprenderla. Si la persona que llora es una desconocida, significa que tienes problemas de comunicación muy fuertes y tu incomprensión se extiende a todas las personas con las que tratas.

Llave

Soñar con llaves indica deseos de esconder algo, ya sea intenciones o sentimientos que no quieres revelar. También significa impulsos de controlar y dominar a los demás. Si sueñas que pierdes las llaves, refleja el temor

a perder ese control, también temor de perder credibilidad, confianza o peldaños en el nivel social. Soñar que abres una puerta con una llave significa que has encontrado la clave para resolver un problema.

Lluvia

Soñar con lluvia simboliza un profundo deseo de barrer con los problemas que enfrentas. La lluvia indica la disposición a limpiar y purificar aspectos de tu vida que te están intoxicando, pero en un grado violento. No sólo deseas limpiar, sino extirpar.

Sueños específicos:
* Si en tu sueño no ves llover pero escuchas el sonido de la lluvia, significa buena suerte y disposición a perdonar.
* Ver que llueve es un anuncio de que probablemente debas posponer un viaje. Si sueñas que está cayendo una tormenta es una indicación de que viene una mala época para los negocios, o mala suerte en otros aspectos de tu vida. También

indica que nada de lo que has sembrado dará fruto. Tienes que comenzar otra vez.

* Si en tu sueño te empapas por causa de la lluvia, significa que las ganancias que esperas de un negocio serán muy modestas.

El
cuerpo se paraliza
durante el sueño para prevenir
que realice las acciones de los
sueños. Algunas glándulas comienzan a
segregar una hormona que ayuda a inducir
el sueño y las neuronas envían señales a
la médula espinal, lo que provoca que
el cuerpo se relaje y más tarde sea
esencialmente paralizado.

Madre

Soñar con la madre simboliza el deseo de ser protegido, de tener refugio y consuelo. Si en el momento del sueño estás pasando por problemas, el sueño te advierte que estás desdeñando su importancia. Tú no podrás solo, necesitarás ayuda para superarlos. En otro sentido, soñar con tu madre puede indicar muy directamente tu preocupación por ella y por su bienestar, o bien que estás distanciado de ella y necesitas tener un acercamiento.

Magia

Soñar con la palabra "magia" es un presagio de que pronto te darán una noticia muy agradable. En general, sorpresas inesperadas y muy positivas. Si sueñas que ves un acto de magia, significa que tu mente está alerta y pasas por un periodo de creatividad que debes aprovechar para resolver asuntos que has dejado de lado durante algún tiempo. Es el momento de actuar.

Maletas

Soñar con maletas puede presagiar cambios, pero en general más que un anuncio es un deseo interior por efectuarlos. También representan impulsos de evasión, escapar a los problemas cotidianos en

vez de enfrentarse a ellos. Soñar con maletas pesadas o abiertas y con ropa en el interior es un augurio de que llegarán momentos felices a tu vida. Las maletas vacías, por el contrario, son un presagio de penas y tristezas.

Mano

Las manos tienen un simbolismo onírico muy rico. Representan el modo en que la persona establece contacto con la realidad, su forma de expresarse y de relacionarse con las personas. En un sueño donde aparecen las manos puede estar la clave de tus convicciones más profundas, por lo que es imposible aquí explicar todos los posibles significados de tu sueño. Sin embargo, es importante saber que la mano derecha representa aspectos masculinos, mientras que la izquierda simboliza los aspectos femeninos, por lo que si un hombre sueña que la mano izquierda tiene relevancia en su sueño, entonces significa que atributos masculinos como la autoridad y la fuerza están haciéndole daño y obstaculizando su camino hacia el éxito. Debes tratar de ser menos impositivo y más cooperador e involucrarte más en los sentimientos de las personas que te rodean. En cambio, si una mujer sueña con la mano derecha, o ésta tiene un papel importante en tu sueño, indica que debes ser más afirmativa, tener más confianza en tí misma para alcanzar el éxito y la independencia.

Sueños específicos:
* Si en tu sueño te lavas las manos, indica que hay cosas que te preocupan y quieres deshacerte de ellas. El sueño te da una clave: debes obrar cuidadosamente, librarte de los asuntos difíciles con diplomacia o te perseguirán por mucho tiempo.

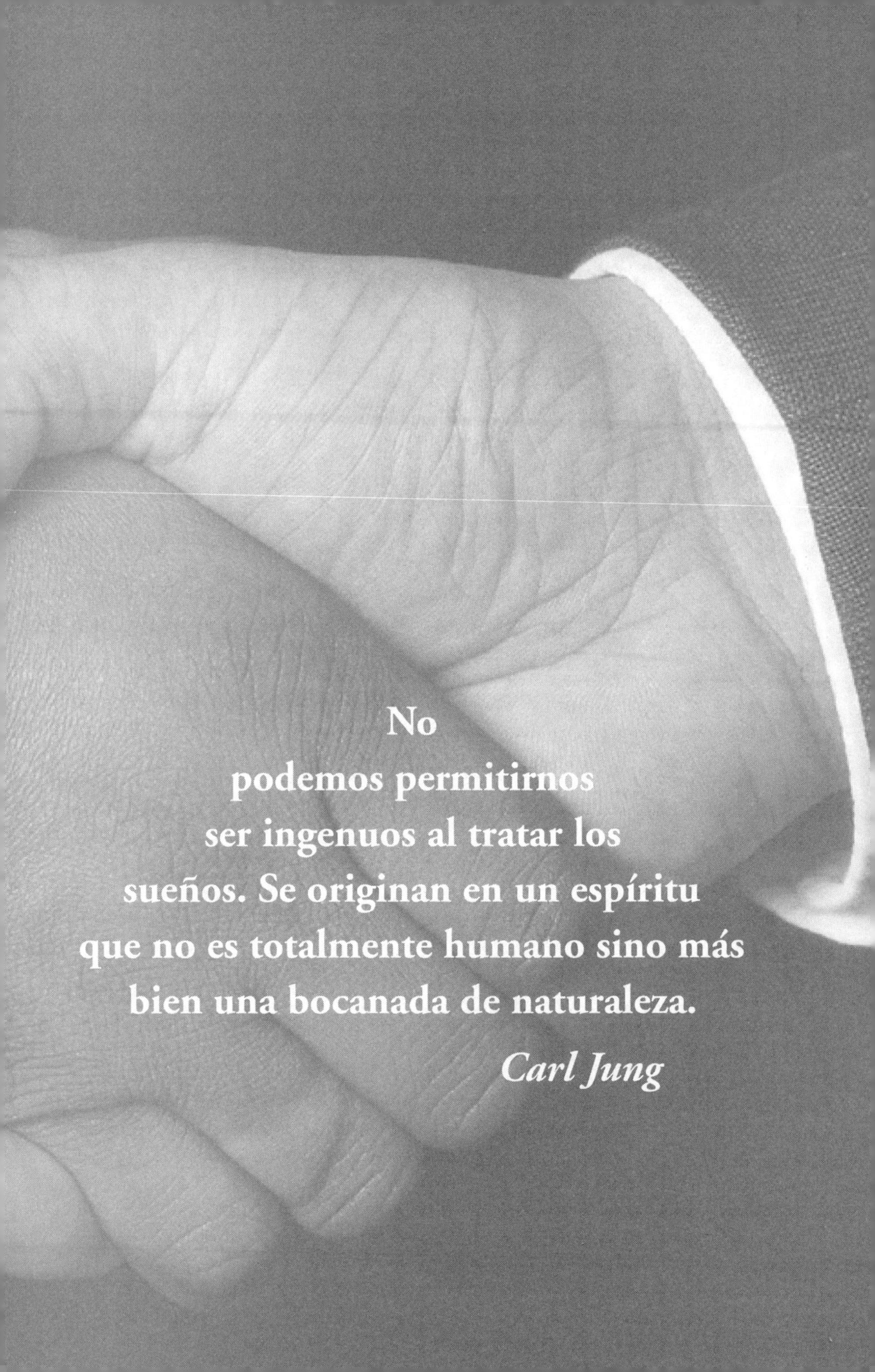

No
podemos permitirnos
ser ingenuos al tratar los
sueños. Se originan en un espíritu
que no es totalmente humano sino más
bien una bocanada de naturaleza.

Carl Jung

* Si sueñas que tienes manchas o sangre en las manos significa culpabilidad.

* Soñar que tienes las manos más grandes que en la realidad indica abundancia y éxito.

* Si sueñas que saludas a alguien dándole la mano, significa simpatía por la persona a la que saludas, deseo de estrechar el vínculo con ella.

* Las manos bonitas indican éxito, mientras que las manos feas o descuidadas son un augurio de pobreza y mala suerte.

* Si sueñas que tienes las manos atadas es un presagio de que te verás involucrado en problemas de los que sólo podrás escapar con ayuda de las personas en las que más confías.

* Soñar con manos delgadas y frágiles es un augurio de soledad.

Manzana

Soñar con manzanas simboliza la sabiduría.

Estás en una etapa de tu vida en la que las experiencias y conocimientos adquiridos te otorgan una gran seguridad y equilibrio emocional. Las manzanas también son símbolo de prodigalidad y abundancia: tendrás riqueza material y espiritual y una franca disposición a compartirla con los que te rodean. A pesar del fuerte simbolismo que las manzanas tienen como representación de las tentaciones, un sueño en el que aparecen no tiene relación con tentaciones reales, puesto que no forman parte del inconsciente colectivo.

Mansión

Soñar con una mansión significa que tienes capacidades que no has explotado en tu beneficio, o que están dormidas en tu interior. Debes ser más introspectivo para descubrir habilidades o cualidades que sólo de manera inconsciente has utilizado o que no has descubierto dentro de ti.

Mapa

Soñar con un mapa tiene signi-

En el siglo XIX, J. W. Dunne, un sabio matemático, escribió una obra titulada *Un experimento con el tiempo,* en la que establece claramente que los sueños son espejos del futuro.

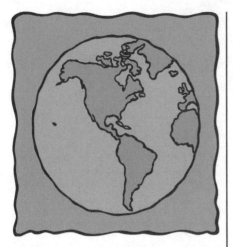

ficados muy directos. Un mapa en un sueño indica el camino a seguir. Si lo estudias atentamente significa que sabes que el camino que estás siguiendo te aparta de tus metas. También es un augurio de que encontrarás problemas necesarios; es decir, tienes que enfrentarlos porque ellos te señalarán la forma de alcanzar la cima en tu esfuerzo por destacar o llegar a las metas más ambiciosas.

Mar

El mar representa, en un sentido superficial del sueño, deseo de tener tiempo libre, ganas de tomar vacaciones y disfrutar de un descanso. Significa que te sientes abrumado y quieres relajarte. En un sentido más profundo, soñar con el mar indica anhelos de inmensidad y grandeza. Ambición y empuje. Si sueñas que nadas en el mar indica que estás próximo a alcanzar el éxito en tu vida laboral y personal. Pero si sueñas que caes o te ahogas en el mar es presagio de mala suerte.

Maremoto

Soñar con un maremoto indica cambios inesperados, tanto positivos como negativos. Debes estar atento a las situaciones que vives para sacar provecho de ellas, pero también para prever cursos desafortunados y reaccionar a tiempo.

Marido

Si una mujer sueña con su marido, está haciendo una proyección muy clara de lo que siente respecto a él. Todo lo que aparece en su sueño tiene un significado muy directo, representa lo que realmente piensa de él o siente por él. Por ejemplo, si en el sueño tu marido es violento y amenazador, indica inseguridad y temor. Soñar que peleas con él es un presagio de conflictos y posible ruptura. Por el contrario, si tu marido se comporta cariñosamente, indica que te sientes segura y protegida. Si una mujer soltera sueña que tiene un esposo, proyecta sus anhelos inconscientes de establecer una familia, pero también es presagio de un compromiso cercano.

Mariposa

Soñar con una mariposa es símbolo de carácter voluble e inconstante. El sueño te indica que debes trabajar en tu interior para alcanzar un equilibrio emocional y decidir qué quieres hacer realmente con tu vida. Si sueñas que atrapas una mariposa, es un anuncio de relaciones sentimentales pasajeras, que no dejarán huella. Si atrapas la mariposa con las manos indica que es posible que sufras la experiencia de una infidelidad.

Máscara

Soñar que tienes una máscara puesta tiene un significado muy directo: tratas de esconderte o de ocultar tus pensamientos y sentimientos verdaderos. También indica timidez o vergüenza por causa de tu aspecto. Si sueñas que otros llevan una máscara es un indicio de que sientes inseguridad y desconfianza, lo más probable es que te enfrentes a la traición y el engaño.

Matar

Soñar que matas a alguien indica muy claramente tus sentimientos por esa persona. Debes tratar de entender qué te molesta de ella para controlar tus impulsos y mantener las emociones en un nivel manejable. Si sueñas que te matan indica tanto tu temor a morir como un fuerte deseo de deshacerte de aspectos tuyos que te hacen sentir mal.

Matrimonio

Soñar con matrimonio indica el equilibrio de aspectos contrarios en tu personalidad. Finalmente has podido armonizar algunas complejidades que te causaban conflictos. También indica la proximidad de un compromiso sentimental o que tendrás una relación muy importante en un futuro muy cercano. Soñar que te casas con tu ex pareja indica no solamente que el afecto sigue vivo sino que has llegado a comprenderla mejor. Soñar que estás feliz mientras te casas indica que serás feliz, mientras que si te ves triste en tu boda significa que tendrás muchos problemas y te sentirás insatisfecha con tus relaciones. Si sueñas que acudes a una boda como invitado, es un presagio de toda clase de cosas positivas: felicidad, éxito y buena suerte.

Medicina

Soñar que estás tomando una medicina es un augurio de que los problemas por los que atraviesas son pasajeros y tendrán una solución pronta y satisfactoria.

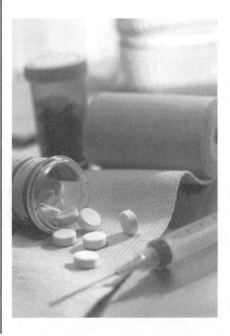

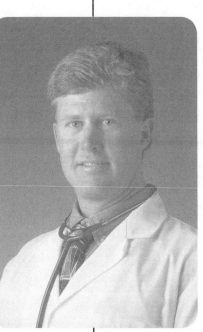

Médico

Soñar con un médico puede indicar muy directamente ciertos temores relacionados con tu salud, pero también puede ser un buen presagio de una vida próspera y con abundancia material. Alcanzarás una buena posición en la vida.

Mendigo

Soñar que eres un mendigo representa tu sentido de inseguridad y falta de autoestima.

Mentir

Soñar que mientes refleja desconfianza en ti mismo. Estás pasando por un periodo de debilidad de carácter y te sentirás tentado a actuar contra tus principios o a dejarte manipular por los demás. Si sueñas que te mienten es un anuncio de que alguien intentará engañarte o aprovecharse de ti. Cuando la mentira aparece en un sueño siempre indica que te sientes inseguro de ti mismo o de los demás.

Mercado

Soñar que estás en un mercado indica ausencia de afectos y un intenso deseo de involucrarte sentimentalmente con alguien y sentirte protegido. Si sueñas con un mercado vacío significa que pasas o pasarás por periodos de tristeza y depresión.

Misa

Soñar que estás en una misa indica progreso espiritual, pero también tranquilidad de conciencia. Armonía entre lo que haces y lo que piensas. También es un augurio de que atravesarás por una etapa de buena suerte.

Monasterio

Soñar que visitas un monasterio tiene un claro significado de tu deseo por disfrutar una vida tranquila. Las turbulencias, la aventura y las experiencias excitantes ya pasaron. Ahora estás en una etapa de aprendizaje que te servirá para encontrar paz interior.

Monedas

Soñar con monedas es un augurio de prosperidad. Las monedas de oro simbolizan abundancia material. Las monedas de plata representan riqueza espiritual.

Monja

Soñar con una monja significa perplejidad ante los problemas, no sabes cómo resolverlos. Sientes que ignoras cosas fundamentales. El sueño te indica que tienes que acumular más datos o conocimientos antes de abordar los problemas que se te están presentando.

Mono

Soñar con un mono es indicación de pereza e irresponsabilidad. El sueño te advierte que debes ser más cuidadoso con la forma en que manejas tu tiempo. También es un mal presagio para el amor.

Los sueños pueden ser realidades.
Son lo que nos guía por la vida
hacia una gran felicidad.

Deborah Norville

Monstruo

Soñar con un monstruo simboliza tus propios defectos personales. Si sueñas que matas a un monstruo significa que podrás superar o transformar tus debilidades para convertirte en una mejor persona. También te anuncia que podrás vencer a tus rivales.

Moscas

Soñar con moscas significa irritación, estás harto de enfrentarte una y otra vez a los mismos problemas de siempre. Debes darles una solución tajante y definitiva para sentirte bien contigo mismo.

Mosquitos

Soñar con mosquitos indica que tienes enemigos muy molestos. Si en tu sueño matas a uno o más mosquitos, significa que los problemas desaparecerán y tus enemigos se darán por vencidos.

Motocicleta

Soñar con una moto tiene un significado sexual. Significa que estás pasando por un periodo de gran impulso sexual y lo estás reprimiendo. Deseas sentir-

Las ideologías nos separan, los sueños y la angustia nos unen.
Eugène Ionesco

te libre para expresar tu sexualidad.

Mudanza

Soñar con una mudanza tiene un significado muy directo de que se avecinan cambios en tu vida. Tanto si son de signo positivo como negativo, debes estar preparado para enfrentarlos.

Muelas

Soñar con muelas en buen estado significa tranquilidad de conciencia. Si sueñas que te duelen las muelas puede indicar muy directamente tus problemas dentales proyectados en el sueño, pero también es un presagio de la proximidad de problemas familiares.

Mujer

Soñar con una mujer siempre tiene un significado muy directo. La mujer es el heraldo más claro del significado que contiene un sueño. Una mujer bella y joven significa agrado por tu apariencia, te sientes bien siendo como eres. Soñar con una mujer vieja indica temor al futuro y a la vejez. Ver a una mujer desnuda en sueños significa deseos sexuales muy intensos. Una mujer contemplándose en el espejo simboliza traición y engaños. Pelear con una mujer en sueños indica conflictos y preocupaciones. Si la golpeas es un anuncio de separaciones y rupturas. Soñar con una mujer desconocida es un augurio de que conocerás a alguien con quien tendrás una aventura muy agradable, también indica la proximidad de una relación muy satisfactoria. Si ves a una mujer coqueteando a otros mientras está contigo, indica infidelidad. Una mujer vestida con colores vivos significa alegrías, mientras que una mujer vestida de negro anuncia preocupaciones y noticias funestas.

Muerte

Soñar con la muerte de un ser querido tiene significados contrarios dependiendo del estado emocional en el que te encuentras durante el sueño. Puede significar una preocupación por causa de motivos reales, tal vez sientes que hay razones para preocuparte por la salud de esa persona, pero también puede indicar que al morir en

sueños, estás decretando de manera simbólica tu alejamiento de ella, en este caso significa que esa persona ha dejado de ser importante en tu vida. Soñar con la muerte propia representa la liberación de las preocupaciones y tiene un significado totalmente opuesto a morir, pues indica renacimiento. Si en tu sueño ves a un ser querido que ha muerto significa que hay un lazo muy fuerte aún entre los dos y que no resolviste algunas cosas con él mientras estaba vivo. También es un reflejo de la añoranza que sientes por esa persona que ya no existe. En las personas mayores, soñar que mueren es un símbolo de que su espíritu se está preparando para la muerte y están pasando por una etapa de aceptación. Si en tu sueño hablas con un muerto, presta mucha atención a lo que te transmite, pues los muertos son mensajeros muy confiables.

Muñeca

Soñar con una muñeca o un muñeco es un presagio de problemas por resolver, el sueño te indica que debes apresurarte a encontrarles solución antes de que sean más grandes. En cambio, si sueñas que te regalan una muñeca el significado es que estás satisfecho con tu vida y te sientes seguro y rodeado de afecto.

Murciélago

Soñar con un murciélago es de mal augurio. Significa problemas y conflictos con personas cercanas. Tendrás que enfrentarte a problemas de conducta o comportamientos negativos.

La sabiduría suprema
es tener sueños
bastante grandes para
no perderlos de vista
mientras se persiguen.

William Faulkner

Nacimiento

Soñar con un nacimiento es un presagio de noticias inesperadas que darán un giro positivo a tu vida. Soñar que nace un hijo tuyo es un augurio de prosperidad y nuevas experiencias. Si sueñas con el nacimiento de gemelos significa pequeños problemas u obstáculos sin importancia en tu camino hacia el éxito. El sueño te indica que no debes desanimarte. Si sueñas con el nacimiento de animales es un presagio de que muy pronto acabarán tus problemas económicos y podrás disfrutar de una vida de abundancia material.

Nadar

Nadar es símbolo de una vida tranquila. Si flotas en el agua o en el aire significa que estás satisfecho con tu vida. Hay una sensación de plenitud en este sueño, por lo que es común que las mujeres embara-zadas frecuentemente tengan esta clase de sueños. Nadar en aguas tranquilas indica también ganancias materiales, mientras que nadar en aguas turbulentas es un indicio de angustia y desgracias cercanas.

Nariz

Soñar con una nariz grande es un augurio de cosas positivas

en tu vida: éxitos, felicidad y bienestar. Estás pasando por una etapa muy creativa, tal vez la más alta de tu vida. Si la nariz es demasiado grande indica complejo de superioridad. Si la nariz es pequeña anuncia problemas en el trabajo, muy probablemente un enfrentamiento con tu jefe. Si la nariz te sangra es un presagio de angustias y desastres por venir. Soñar que tienes la nariz tapada y no puedes respirar refleja un sentimiento de agobio por problemas de tipo laboral.

Naturaleza

Soñar con la naturaleza simboliza el deseo de construir, dar forma a tu mundo personal. También es un indicio de que hay aspectos muy creativos en tu personalidad que no has explotado.

Navidad

Soñar con la Navidad simboliza el deseo de empezar otra vez, de iniciar un nuevo ciclo y deshacerse de todo lo viejo, todo lo que es un lastre en tu vida actual. Renovación y celebración.

Nido

Soñar con un nido de pájaro significa seguridad, protección y comodidad. También puede simbolizar nuevas posibilidades y oportunidades que surgirán en tu vida real. Un nido con huevos rotos o podridos simboliza desilusión y fracaso.

Niebla

Soñar con niebla refleja estados de ánimo depresivos o una tristeza muy profunda. Si estás perdido en la niebla, también significa confusión e incapacidad para elegir lo que es mejor para ti. Este sueño te anuncia que debes pensar bien y reordenar tus prioridades.

Nieve

Soñar con nieve es un augurio de ideas nuevas. Si la nieve se está derritiendo, significa que serás capaz de resolver todos los problemas gracias a tu capacidad mental.

Niños

Soñar con niños es símbolo de pureza e inocencia. El significado de este sueño puede reflejar que estás pasando por un estado de ánimo semejante, o bien que anhelas recuperar algunos valores que sientes perdidos, como la capacidad de soñar y ver el mundo con una mirada fresca. Deseos de escapar al pasado con un sentido positivo, es decir, no es un escape o una evasión, sino que sientes que debes recuperar aspectos de tu infancia para enfrentarte a las situaciones que estás experimentando. También indica proyectos insatisfechos y nuevas oportunidades.

Noche

Soñar con una noche estrellada es un buen presagio, debes prepararte para aprovechar al máximo una serie de oportunidades que se presentarán en tu vida. Si sueñas con una noche oscura, el significado es que debes estar atento a los acontecimientos para evitar que te sorprendan, también indica que debes estar alerta a las conductas de la gente con la que trabajas para advertir posibles problemas.

Nombres

Soñar que alguien pronuncia tu nombre es un presagio de que te distinguirás al realizar un trabajo o serás objeto de un reconocimiento. Soñar que has olvidado cómo te llamas indica

una profunda tensión interna que te hace olvidarte de quién eres realmente. También indica una fuerte propensión a desear vivir la vida de otra persona y no la tuya.

Novio

Soñar que estás vestido de novio o de novia es un augurio de que estás por recibir una gran cantidad de dinero. Si sueñas que eres invitado a una boda y

ves a los novios significa recuperación en todos los sentidos: de amigos, de oportunidades que creías perdidas y revitalización de proyectos muy importantes.

Números

Se tiene la creencia generalizada de que soñar con números indica suerte en los juegos de azar, sobre todo en la lotería, pero no debes confiarte, nunca soñarás con los números ganadores. El significado depende del número que sueñes, pero la simbología de los números en sueños es muy vaga. En términos generales están relacionados con ganancias económicas, pero que no dependen del azar. Los números son infinitos, y así su significado, que deberá interpretarse de manera mucho más precisa de lo que puede hacerse en una obra de esta naturaleza.

Las
personas ciegas
sí sueñan. Aunque los
que nacieron sin visión no vean
imágenes, sus sueños son igual de
vívidos e involucran otros sentidos
como el oído, olfato y tacto. Las
personas que nacieron con visión
y luego la perdieron, pueden ver
imágenes en sus sueños.

Obispo

Soñar con un obispo o una figura religiosa semejante a ésta indica la necesidad de ayuda espiritual.

Oficina

Soñar que estás en tu oficina es indicación de estrés laboral. Tienes sobrecarga de trabajo o de preocupaciones laborales que te agobian y se proyectan en tu sueño. Si sueñas una oficina desconocida significa planes muy ambiciosos. Eres una persona que arriesga mucho para alcanzar lo que te propones.

Ojo

En los sueños, el ojo derecho simboliza la luz, el discerni-

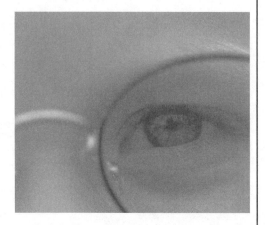

miento y la capacidad intelectual. El ojo izquierdo simboliza la aceptación y la resignación ante las cosas que no se pueden comprender. Soñar que tienes la vista nublada significa resistencia a aceptar puntos de vista distintos al tuyo, y el mismo significado tiene el sueño en el que sientes que tienes una basura o un objeto incrustado en uno de tus ojos. Si ves tus ojos mirando o contemplando algo y éste es el motivo relevante del sueño, significa que llegarás a comprender cosas que hasta ahora no habías podido desentrañar.

Olas

Soñar que estás en la playa contemplando las olas indica un carácter contemplativo y tranquilidad de espíritu. Si sueñas que ves una o varias olas altas significa que tendrás abundancia de oportunidades a lo largo de tu vida. Si sueñas que estás nadando y una ola te hunde, significa que tus emociones son muy intensas y te está costando controlarlas. Necesitas encontrar la serenidad espiritual para saber lo que debes hacer. Soñar con olas altas que rompen contra las rocas tiene un significado erótico. Estás pasando por una etapa de relajación mental y viveza física que favorecen tu sensualidad.

Operación

Soñar que te operan o que has sido operado indica una clara preocupación por tu salud. En un plano más simbólico, presagia acontecimientos novedosos y refrescantes. Vivirás algo que nunca olvidarás.

El origen de
toda mi filosofía está
en tres sueños que tuve.
Fueron como un fogonazo
abrasador. El tercer sueño me señaló
la unificación y la iluminación de la
ciencia toda, e incluso de la totalidad
del conocimiento merced a un mismo y
único método: el método de la razón.

René Descartes

Y
ven
el cielo
y les vuelve a
dar sueño y vuelven
a bajar dormidos, y
vuelven a tocar el fondo del
mar y se despiertan y vuelen a subir.
Así son nuestros sueños, como delfines.

Silvina Ocampo

Orejas

Soñar que te tocas las orejas es un anuncio de que debes estar alerta para anticipar situaciones difíciles o peligrosas. Si te tapas las orejas significa falta de voluntad para comprender a los demás.

Órganos sexuales

Soñar con los órganos sexuales propios indica satisfacción con la vida que tienes, estás contento contigo mismo. Si sueñas que contemplas los órganos sexuales de otra persona significa pasiones no desahogadas, seguramente necesitas una vida sexual más activa o plena.

Orgía

Soñar que participas en una orgía significa apetitos voraces y desenfrenados, no sólo en el aspecto sexual. Desorden y caos mental. Si sueñas que contemplas una orgía indica la necesidad de liberar energías acumuladas durante largo tiempo.

Orina

Soñar que estás orinando puede estar desprovisto de simbolismo, simplemente proyecta en el sueño el exceso de bebida y la consecuente urgencia fisiológica. En otro plano, significa la necesidad de liberar emociones reprimidas. También indica la posibilidad de que padezcas una enfermedad sin que te hayas dado cuenta. Es probable que necesites acudir al médico.

Oro

Soñar con piezas de oro indica un carácter resuelto y decidido. Arriesgas sabiendo que vas a ganar. Recompensas materiales y espirituales a cambio de sus esfuerzos.

Oscuridad

La oscuridad simboliza el temor a lo desconocido, la maldad y la muerte. Pasas por un periodo de inseguridad y desequilibrio, desconfianza en ti mismo y en los demás y te sientes débil para enfrentarte a situaciones nuevas. Si te sientes ahogado por la oscuridad, estás pasando por un momento de depresión causada por un sentido de precariedad, sientes que tu existencia está amenazada.

Sueños específicos:
* Soñar que te sientes cómodo con la oscuridad que te rodea indica indiferencia o una postura de no desear enterarte de cosas que podrían hacerte daño.
* Estar perdido en la oscuridad indica depresión.
* Soñar que de repente se oscurece el día significa mala suerte.
* Soñar que buscas algo en la oscuridad significa que necesitas tener más datos sobre algún proyecto que estás contemplando realizar. También puede indicar que temes que lleguen noticias inesperadas que obstaculizarán tus planes.

Oso

El oso es símbolo de fuerza. Si sueñas con uno significa que vencerás en cualquier competencia en la que participes.

Olvidamos el 90% de nuestros sueños: En los primeros 5 minutos después de despertar, olvidas la mitad de tu sueño, y al pasar tan sólo 10 minutos, el 90% del sueño se ha ido.

Oveja

Soñar con una oveja es presagio de prosperidad y abundancia. Si en tu sueño ves a una oveja comiendo o tú la alimentas significa recompensas por causa de planes llevados a cabo a la perfección.

Ovnis

Un ovni representa deseo de tener experiencias completamente nuevas. Este sueño refleja mentalidades muy creativas y versátiles.

Padre

La imagen del padre representa el bienestar familiar y la protección, al mismo tiempo que es un símbolo de autoridad. Si tienes un sueño placentero en el que aparece tu padre, significa que hay armonía y confianza en el seno familiar. Tu fuerza es tu hogar, de él extraes la motivación para alcanzar tus metas más ambiciosas. Pero si en tu sueño tienes desavenencias con tu padre, es muy probable que haya alguien que está tratando de soca-

var esta relación para beneficio propio, la imagen de tu padre enojado es una alerta para proteger el cariño y la unidad familiar. Si sueñas que tu padre está muerto indica la necesidad de acercarte a él, y también una preocupación inconsciente por su salud. Si ves a tu padre enfermo y en cama, significa que deberás enfrentar una

Se
ha comprobado
que puede haber sueños en
cualquiera de las fases del dormir
humano. Sin embargo se recuerdan más
sueños y los sueños son más elaborados
en la llamada fase MOR (Movimientos
Rápidos de los Ojos; en inglés, REM: Rapid
Eye Movement), que tiene lugar en el
último tramo del ciclo del sueño.

serie de problemas. El sueño te está señalando la necesidad de apoyarte en tu familia para salir bien librado de ellos. Soñar que abrazas a tu padre indica en la superficie el deseo de sentirte protegido, pero también una

profunda necesidad de evasión y huida de las responsabilidades. El sueño te advierte que debes intentar convertirte en una persona más independiente y asumir tus compromisos. Si una mujer sueña que ve a su padre compartiendo agradablemente con su madre, es un indicio de una relación seria en su futuro cercano, incluso matrimonio.

Paisaje

Los paisajes de la naturaleza son una proyección de los estados de ánimo, también representan las distintas etapas de la vida. En términos generales, un paisaje luminoso y atractivo es un signo de buenos augurios, mientras que un paisaje oscuro o ruinoso es signo de malos augurios. Todos los detalles del paisaje son importantes para descifrar correctamente este sueño. Por ejemplo, un paisaje que contenga muchos elementos de la naturaleza, como montañas, bosque, una vista del mar, colinas y parajes arbolados simboliza las etapas emocionales o psicológicas por las que has pasado y el punto en el que se encuentra tu vida en este momento. Si el mar está picado, con olas altas, pero lo tienes a tu espalda mientras disfrutas caminando por un sendero boscoso, significa que ya has dejado atrás las turbulencias emocionales y te encaminas a un periodo de madurez. Si tienes esa visión del mar frente a ti, indica que deberás enfrentarte a complicaciones y dificultades que deberás resolver. Si te sueñas contemplando un mar tranquilo anuncia viajes y aventuras emocionantes. Un paisaje bien cuidado, con prados verdes y florecientes significa armonía laboral, paz mental y dinero en abundancia. Mientras que un paisaje tenebroso y seco es un presagio de proyectos frustrados, depresión, trabajos esforzados y mal remunerados así como malas noticias.

Pájaros

Los pájaros tienen un contenido simbólico muy rico y variado. Representan la libertad, la creatividad y un criterio independiente y elevado. Sin embargo, los pájaros cautivos simbolizan estrechez de miras, pobreza de ideas y proyectos poco ambiciosos.

Los niños de entre 3 y 4 años casi no sueñan con sus padres, pero tampoco suelen hacerlo con personas, excepto con los hermanos. Sueñan fundamentalmente con animales, los cuales aparecen en el 45% de los sueños.

Sueños específicos:
* Soñar con pájaros dentro de una jaula es un mal augurio, pues presagia pérdida del empleo, descalabros económicos y esfuerzos inútiles, sin fruto.
* Si sueñas que matas a un pájaro indica desaliento y mala suerte.
* Ver un nido vacío es un presagio de que se avecinan tiempos

de angustia provocados por la falta de dinero.

* Si sueñas con un pájaro herido significa que alguien de tu familia te provocará dolores de cabeza.

* Soñar con pájaros volando alto es un buen augurio que te indica que pronto tendrás abundancia y gozarás de un periodo en el que se agudizarán tus cualidades creativas.

* Ver pájaros con plumaje brillante y vistoso es un anuncio de que habrá cambios positivos en tu vida relacionados con la posición social, serás objeto de adulaciones y homenajes y atraerás la atención de personas interesantes entre las que podrías encontrar a la pareja que siempre has estado esperando.

* Soñar con pájaros cantando en libertad es un presagio de éxitos en todos los niveles.

Palomas

Las palomas simbolizan la felicidad hogareña y la unión familiar. También suelen presagiar nacimientos y revitalización de proyectos beneficiosos o cambios positivos en los negocios. Sin embargo, soñar con una paloma herida es un presagio de un fallecimiento doloroso.

Pan

Prosperidad y éxito. Soñar con pan es un augurio de buenos tiempos por venir, el futuro será mucho mejor que el presente.

Pantera

Soñar con una pantera indica fortaleza ante las adversidades. Tus enemigos no podrán hacerte daño.

Papeles

Soñar con papeles sobre un escritorio indica la necesidad de atender asuntos que has descuidado. Los sueños en los que aparecen papeles con una función específica revelan cuestiones muy directas. Por ejemplo, los papeles de orden administrativo auguran problemas de tipo legal, litigios sobre tus bienes y posesiones; los papeles escritos a mano o con apariencia de cartas indican noticias de personas a las que no ves hace mucho, y los papeles cortados so-

bre una superficie o volando, así como papeles quemados, indican dificultades amorosas, desilusiones y dinero desperdiciado.

Parto

Soñar que atestiguas un parto es un presagio de que recibirás noticias agradables. Sin embargo, si el parto es difícil o doloroso indica muchas penas y contrariedades. Si una mujer embarazada sueña que da a luz a un niño, es un presagio de buena salud y felicidad. Si sueña que da a luz a una niña, es un augurio de penalidades y dolores de tipo moral. Si una mujer soltera sueña que tiene un parto es una advertencia de que surgirán habladurías que comprometerán su reputación.

Pastel

Soñar con un pastel es un augurio de que se presentarán momentos de felicidad y plenitud en el hogar. Si sueñas que partes un pastel indica que habrá mucha diversión en tu vida.

Patinar

Soñar que estás patinando sobre hielo significa que debes confiar más en ti mismo y en tus acciones. Un sueño en el que estés patinando sobre hielo puede también significar que debes tener cuidado en alguna situación o relación.

Payaso

Soñar con un payaso es un reflejo de estados de ánimo que aún no se hacen presentes, pero están latentes en tu inconsciente. Si el payaso está alegre, augura felicidad, pero si tiene un gesto triste es un signo de que pasarás por momentos amargos.

Peces

Soñar con peces nadando en el agua es un anuncio de prosperi-

dad y abundancia. Tu economía mejorará notablemente o experimentarás una gran satisfacción al ver florecer tus negocios. Soñar que estás pescando es un augurio de libertad tanto financiera como de acción. Disfrutarás de un periodo de tranquilidad y armonía contigo mismo. Soñar con peces muertos es un presagio de que los cambios que estás introduciendo en tu vida no serán positivos ni provechosos.

Pelea

Las peleas representan advertencias relacionadas con actitudes rebeldes. Soñar que participas en una pelea es un mal augurio que presagia problemas y enfrentamientos en la vida real. También indica conflictos internos sin resolver. Hay partes de tu personalidad con las que no estás contento y tu inconsciente trata de llamarte la atención sobre estos aspectos para que asumas nuevas actitudes y modifiques hábitos antiguos. Si sueñas que eres testigo de una pelea, es un anuncio de una temporada en la que la suerte no estará de tu lado. En una interpretación más directa, si sueñas que peleas con un pariente es un presagio de problemas en el hogar, y si peleas con alguien de tu trabajo, los problemas se presentarán en el ámbito laboral.

Película

Soñar que estás viendo una película es un sueño de signos contrarios. En otras palabras, si la película que ves es triste, simboliza alegrías inesperadas; en cambio, si la película es cómica y muy divertida significa que sobrevendrán momentos de desdicha. Si estás acompañado de alguien desconocido, es presagio de que aparecerá una nueva relación en tu vida.

Pelo

Soñar con pelo tiene un significado muy estrecho con estados de ánimo relacionados con tu apariencia física y la valoración que haces de tu propia sensualidad. En general, el estado del pelo revela el significado del sueño. Si tu pelo está sano y brillante significa que sientes fuerza y vitalidad, confianza en ti mismo. Si sueñas que contemplas o acaricias el pelo largo de alguien del sexo opuesto indica que estás pasando por una etapa de necesidades sexuales no satisfechas, pero también puede indicar que te sientes desilusionado de tu pareja actual. El pelo despeinado revela deseos de liberarte de prejuicios muy arraigados, así como también refleja conflictos sentimentales, no sabes en qué pensar y te sientes desorientado, tal vez sospechas que te están siendo infiel. Si en tu sueño estás perdiendo el pelo es un indicio de temor al paso del tiempo. Si el pelo es blanco también indica temor por la proximidad de la vejez. Soñar que te estás lavando el pelo significa que tu estado de ánimo está cambiando y tienes disposición a asumir una nueva relación sentimental. Soñar que llevas una peluca indica que sabes que estás dando una imagen falsa de ti mismo y temes ser descubierto.

Pene

Además del significado evidente que tiene para una mujer soñar con un pene, este sueño puede significar que aspira a tener una relación con alguien de poder y autoridad. En los hombres, soñar con su propio pene refleja inseguridad sexual, en la medida en que el pene sea más grande, mayor es su inseguridad.

Pepino

Además de las evidentes connotaciones sexuales de soñar con un pepino, este sueño también está relacionado con el estado de salud en general. Si el pepino está en buen estado y se ve apetitoso revela reservas de energía a nivel espiritual que redundarán en beneficio de la salud física.

Perdonar

Soñar con una actitud de perdón está relacionado con la necesidad de ser comprendido y acogido. Si sueñas que alguien te perdona, estás reflejando el deseo de revelar tus verdaderos sentimientos. Si tú perdonas a alguien, simboliza preocupación por amistades perdidas o familiares distanciados.

Perro

Soñar con un perro es un buen presagio en general relacionado con las amistades y tu economía. Sin embargo, si en tu sueño escuchas ladrar a un perro, es una advertencia de que recibirás malas noticias muy pronto. Si en tu sueño te muerde un perro, refleja temores ocultos e inseguridades. Temes ser ridiculizado ante los demás. También puede significar una advertencia sobre traiciones de amistades a las que creías totalmente confiables. Si en tu sueño acaricias a un perro inofensivo que retoza a tu lado, significa que tienes grandes responsabilidades familiares de las que desearías deshacerte.

Pescar

Soñar que estás pescando es un anuncio de vacaciones y liberación de preocupaciones. Viene una buena racha a nivel financiero. Abundancia.

Pestañas

Soñar con pestañas es un presagio de engaños y traiciones. Si sueñas que te frotas un ojo y se te queda una o más pestañas pegadas al dedo es una advertencia acerca del estado de tu salud. Presagio de enfermedades.

Pezón

Si una mujer sueña que le duelen los pezones, puede ser una advertencia física real de un posible embarazo. En el hombre, soñar con pezones refleja deseos sexuales muy intensos.

Piel

Una piel sana y radiante significa deseos sexuales satisfechos. Soñar con una piel enrojecida indica todo lo contrario: frustración sexual. Si sueñas que tu

piel está con señales de marcas significa que se avecinan problemas familiares.

Piernas

Las piernas simbolizan el equilibrio, tanto físico como emocional. Están relacionadas con firmeza y seguridad, por lo que cualquier deformación o defecto tienen que ver con debilidades en esas áreas. Soñar que tus piernas están delgadas o tiemblan significa que hay zonas vulne-rables en tu vida emocional. Si te sueñas con tres piernas o más, el sueño te está indicando que debes tomar con más seriedad la posibilidad de delegar algunas actividades o funciones; no te abrumes más de la cuenta o sufrirás tensiones y enfermedades. Si no puedes mover bien las piernas por alguna razón, significa que la presión ya es demasiada, date un descanso y busca el equilibrio. Las piernas hinchadas indican temor a ser engañado. Si tienes una pierna amputada, seguramente perderás algunas amistades. Cuando un hombre sueña con piernas femeninas y velludas, indica temor a que su esposa o su pareja sea dominante y controladora.

Pies

Soñar con pies sucios, deformes o enfermos anuncia pena y tristezas. Los pies grandes o demasiado pequeños anuncian desasosiego. Si están heridos anuncian penurias, sufrimientos, luto o enfermedad. Si eres mordido en los pies, el sueño indica celos o envidia. Los pies atados advierten la posibilidad de que tus enemigos te venzan aprovechando las debilidades que muestres. Besar los pies de otra persona es señal de arrepentimiento por algo que hiciste contra ella. Caminar con los pies descalzos indica falta de confianza en uno mismo, timidez.

Pintor

Si sueñas que pintas una pared significa que te sientes desvalorado a los ojos de los demás. Deseas un reconocimiento que no te otorgan. Si te ves pintando un cuadro significa un profundo deseo de ser famoso.

Pirámide

Soñar con una pirámide indica ambiciones muy grandes, proyectos que están más allá de tus fuerzas o tu capacidad. Tratar de llevarlos a cabo sólo te provocará disgustos, problemas familiares y conyugales, además de que tu salud se verá afectada.

Piscina

Soñar con una piscina es un presagio de tiempo libre o vacaciones próximas. Si sueñas con una piscina vacía, indica tu temor a no contar con dinero ni con buenas amistades.

Planchar

Soñar que planchas indica pre-ocupación por el hogar y un deseo un tanto excesivo por el orden y la limpieza. Soñar que te quemas con la plancha presagia una enfermedad o celos que perturbarán tu tranquilidad.

Playa

Soñar con la playa simboliza dos aspectos muy importantes de tu personalidad. La arena es la parte racional y pensante, mientras que el mar representa la parte emocional e impulsiva. También es un símbolo de la parte física oponiéndose a la espiritual. Contemplar el mar presagia cambios importantes en tu futuro. Debes adaptarse pronto a ellos para obtener un beneficio. Si te ves a ti mismo descansando en la playa es un augurio de que las preocupaciones que te atormentan desaparecerán y pronto disfrutarás de paz y tranquilidad. Sin embargo, si sueñas que estás en la playa trabajando, significa que estás sometido a mucho estrés, pero vale la pena

el esfuerzo, serás recompensado ampliamente.

Pollo

El pollo simboliza la abundancia en todos los niveles. Soñar con pollos es un buen augurio. Te esperan la felicidad, el amor y la buena suerte.

Polvo

Soñar con polvo acumulado sobre muebles o que caminas y levantas mucho polvo indica irresponsabilidad y problemas familiares. El sueño te está advirtiendo que debes ser más concienzudo con tus obligaciones o terminarás lamentándote. Si sueñas que estás cubierto de polvo, significa que alguien te traicionará o te culparán de los errores de otros. Sacudirse el polvo significa una pronta recuperación de tristezas provocadas por rompimientos sentimentales. Soñar que te sientas en un lugar con mucho polvo es un buen presagio: el sueño te anuncia que lo que estás haciendo te ayudará a no cometer más errores y que la

Pobre no es el hombre cuyos sueños no se han realizado, sino aquel que no sueña.

Marie Von Ebner

suerte te sonreirá. Si tienes las manos empolvadas, el sueño te presagia ganancias económicas. La cabeza llena de polvo augura una noticia que te reportará mucho dinero, probablemente una herencia. Si sueñas que la casa se derrumba y levanta mucho polvo, significa conflictos y desgracias familiares.

Pozo

Soñar con un pozo es un mal presagio. Anuncia problemas en tu horizonte próximo. Tendrás que hacer acopio de fuerza, paciencia y laboriosidad para salir rápido de ellos.

Precipicio

Soñar que caes por un precipicio significa problemas financieros como resultado de malos manejos económicos. Es muy posible que una sociedad que has establecido con otras personas te perjudique. Si sólo contemplas el precipicio, significa que tendrás la capacidad para sortear todos los problemas.

Princesa

Soñar con una princesa es un buen augurio en el terreno sentimental. La soledad está a punto de terminar, conocerás a una persona muy especial con la que vivirás una relación muy estrecha. Puede ser el amor de tu vida.

Príncipe

Si una mujer sueña con un príncipe, el sueño le indica que pone demasiado interés en proyectos, tanto de índole amorosa como laboral, que no resultarán bien porque son demasiado irreales.

Prisionero

Soñar que estás prisionero refleja sensaciones de culpabilidad. Deseas castigarte a ti mismo por remordimientos provocados por malas acciones. También puede indicar ahogamiento conyugal. Te sientes atado a un compromiso que ya no quieres, pero te sientes culpable de desear escaparte del yugo.

Consideras que es una pérdida de la libertad de pensamiento y de acción. Flagelación y autocastigo.

Puerta

Soñar con puertas cerradas es indicio de confusión, te sientes desorientado, necesitas consejo para encontrar el camino de salida. Si sueñas que estás frente a la puerta de un ascensor o de un edificio imponente es un buen presagio, pues te indica que pronto tendrás un trabajo muy bien remunerado o que recibirás un ascenso.

Pulpo

Soñar con un pulpo indica conflictos sexuales no resueltos, también preocupación por tu aspecto físico, te sientes disminuido. Si en el sueño el pulpo te abraza, es un presagio de buena suerte. Conocerás a una mujer paciente y amorosa.

Mi placer de crear era ilimitado. El talento productivo no me abandonó ni un instante durante algunos años; lo que se me ocurría durante el día y en estado de vigilia, se iba a menudo elaborando de noche, en ordenados sueños.

Goethe

Q

Quemar

Soñar con quemaduras refleja estados de ánimo primarios, elementales, como el miedo y la angustia. Cuando tienes este sueño en el que cualquier parte del cuerpo sufre alguna quemadura es porque a nivel de la vida real ya se han presentado problemas graves, pérdida de la salud, de posesiones o separaciones y rupturas que te hunden en una gran tristeza porque significan la pérdida de alguien a quien quieres mucho. Grandes sufrimientos. El único sueño de buen presagio relacionado con este tema es cuando ves que tus manos están ardiendo. Indica que pronto sentirás una gran alegría provocada por alguno de tus hijos o un pequeño de la familia. Es una felicidad muy pura, de sentimientos muy profundos. Si lo que se quema en tu sueño son casas u objetos, revela un carácter muy apasionado.

Queso

Soñar con queso es un buen augurio. Indica prosperidad, finanzas sanas, abundancia material.

Quiebra

Soñar que estás en quiebra es un sueño de carácter contrario. Te anuncia una larga racha de buena suerte. Todos tus negocios serán muy productivos.

Quimono

Ver un quimono en sueños significa grandeza moral, fortaleza de ánimo. Un periodo de gran productividad y mucha iniciativa y empuje. Si una mujer se ve usando un quimono, significa represión de sentimientos relacionados con su vida sexual o amorosa.

Quitarse la ropa

Enfermedad y postración causadas por una ruptura amorosa. Cambio, mudanzas muy difíciles de superar. Añoranza de cosas que te pertenecían y ya no son tuyas. Si sólo sueñas que te quitas los zapatos, significa sufrimiento para llevar a cabo tus proyectos, pero buenas recompensas a tus esfuerzos.

R

Radio

Si en el sueño escuchas música suave y melodiosa, es un buen augurio, paz mental y una vida apacible. Si escuchas algo que no te gusta es señal de que se avecinan algunos problemas en el hogar, se recomienda que seas prudente y tengas pacien-

cia para solucionarlos. Escuchar noticias es importante, lo que escuches durante el sueño es un presagio de cosas que ocurrirán.

Raíces

Soñar con raíces de plantas o árboles simboliza la profundidad de tus creencias, si ves raíces saltando del suelo, significa que pronto enfrentarás situaciones que pondrán a prueba tus convicciones más íntimas. Las raíces también son un fuerte símbolo de apego al pasado por asuntos que no has podido olvidar.

Rata

Soñar con una rata significa que tendrás éxito en la culminación de un proyecto, pero tu alegría se verá empañada por problemas familiares.

Regalo

Soñar que te hacen un regalo significa que tu vida social se volverá más interesante y agitada. Hay posibilidades de un nuevo romance. Si sueñas que envías un regalo significa que vas a desperdiciar dinero en un proyecto que no te redituará ningún beneficio. Generosidad que no es reconocida. Si una mujer sueña que su novio o su pareja le hace un regalo costoso significa que se casará

con alguien poderoso o influyente o exitoso.

Religioso

Obstáculos que se presentan en tu vida una y otra vez. Estás a punto de volver a enfrentar uno de ellos. Intranquilidad espiritual y remordimientos. Cansancio emocional. Necesitas apoyarte en la familia y en los amigos sinceros.

Reloj

Soñar con un reloj es un presagio de que te ocurrirán cosas importantes en tu vida. Hay un acontecimiento que te marcará para siempre en un sentido muy positivo. También es un aviso del inconsciente para que aproveches más y mejor el tiempo.

Sueños específicos:
* Si sueñas que le estás dando cuerda al reloj significa que asumirás el control sobre un proyecto o una empresa importante, también es presagio de una relación amorosa muy satisfactoria.
* Soñar con las agujas del reloj es un magnífico augurio de que te ocurrirán cosas maravillosas. Tienes que estar atento para reconocerlas.
* Un reloj sin agujas es un presagio de mala suerte, incluso la posibilidad de un accidente.

* Soñar con el reloj atrasado es augurio de una breve temporada de contratiempos y dificultades.

* Si el reloj adelanta, significa proyectos aplazados o inconclusos. Has perdido el tiempo dedicándote a ellos.

* Un reloj sin funcionar indica confusión mental, no sabes qué pensar acerca de una situación muy importante, necesitas pedir consejo.

* Soñar con un reloj que se rompe es un mal augurio, anuncia la llegada de problemas que te molestarán durante mucho tiempo.

* Soñar con un reloj de pulsera indica cambios que traerán vientos frescos a tu vida.

* Un reloj de arena indica que el tiempo se te va a agotar para cumplir tus propósitos. También es posible que anuncie una muerte en la familia.

Reptil

Soñar con un reptil es una advertencia para que seas pruden-

te en tus acciones. Hay riesgo de que llames demasiado la atención y provoques envidias y habladurías que podrían dañar tu reputación y dificultar tu capacidad de gestión en un negocio importante.

Respirar

Soñar que respiras muy rápido tiene una relación muy directa con situaciones de tu vida real: estás pasando por una etapa de angustia. Si no eres

consciente de ello, el sueño te revela tu estado de ánimo real. Soñar que respiras bajo el agua es una remembranza del útero materno. Sientes una gran responsabilidad y quieres huir de ella, evocas para evadirte de esa realidad. Desamparo y vulnerabilidad.

Restaurante

Soñar con un restaurante es un presagio de que disfrutarás de una racha de buena suerte. Si sabes identificarla, te beneficiarás con grandes ganancias. Dinero rápido y fácil. Si sueñas que eres tu quien está sirviendo la comida en un restaurante, significa que pronto se pondrá a prueba tu inclinación a ayudar a los demás. Alguien necesitará de ti.

Rey

Soñar que eres un rey indica un carácter prepotente. Debes estar atento a tu forma de tratar a los demás, o esto se convertirá en un escollo para recibir ayuda que necesitarás o rodearte de amistades sinceras. Si ves a un rey, el sueño es muy buen augurio, te esperan la felicidad y el éxito.

Rezar

Soñar que rezas indica un estado de ánimo alterado, con una profunda angustia. Estás pasando por una mala temporada y necesitas volver a tu interior para sanar las heridas. Necesitas cuidado y atención.

Río

Soñar con un río de aguas turbulentas significa que se avecinan problemas de donde menos los esperas. Si te sueñas paseando en barca por un río tranquilo significa que tendrás una buena racha de suerte en los negocios y podrás disfrutar de vacaciones y momentos muy gratos. Soñar que un río se desborda te anuncia pérdidas importantes de dinero, pero si sueñas que te bañas en un río, es todo lo contrario, un augurio de éxitos y ganancias económicas. Si sueñas que estás atravesando un río para cruzarlo, significa que tendrás la fortaleza de ánimo necesaria para enfrentarte a todos los problemas que surjan.

Robo

Soñar que eres víctima de un robo es un sueño de signo contrario,

La risa no tiene tiempo, la imaginación no tiene edad, y los sueños son eternos.

Walt Disney

pues significa que recibirás ayuda de alguien totalmente inesperado que mejorará tu economía. Si eres tú quien roba algo o a alguien en el sueño, entonces indica que sufrirás alteraciones muy importantes en tu vida debido a que estás a punto de caer en una tentación y tu infidelidad te traerá dolores de cabeza, también puede ser un aviso de que debes controlar tu carácter para evitar enfrentamientos que pueden causarte grandes dolores de cabeza. Si sueñas que te acusan de un robo, significa que vas a sufrir las consecuencias de un grave malentendido.

Rocas

Las rocas son un símbolo de fortaleza, fuerza y estabilidad. Si sueñas con una roca o con un paisaje donde predominan las rocas, significa que estás preparado para asumir un compromiso de largo plazo. Otro simbolismo de la roca está relacionado con la persistencia y la desdicha. Si sueñas que tratas

de subir por una pendiente rocosa, entonces es probable que encuentres muchos obstáculos para culminar tus proyectos y te desgastarás en el intento. Aunque logres alcanzar la cima, en ella te esperan algunas experiencias dolorosas.

Ropa

Si en tu sueño te estás probando ropa nueva significa que los cambios que has deseado para tu vida están a punto de ocurrir. Soñar que contemplas una prenda o varias tiradas en el piso significa que has descuidado tus responsabilidades y pagarás un alto precio por ello.

Rosa

Soñar con una rosa no tiene ningún significado relacionado con presagios. Sólo revela el carácter suave y romántico de la persona que sueña. Amor y felicidad como recompensa de un carácter bondadoso.

Rosario

Soñar con un rosario es un presagio funesto, pues anuncia la muerte de algún familiar o amigo cercano.

Ruleta

Soñar que juegas a la ruleta es un buen augurio para tus finanzas. Significa que la suerte te sonreirá y podrás obtener ganancias en todos los proyectos que emprendas.

Nuestra vida es como un sueño. Pero en las mejores horas nos despertamos lo suficiente como para darnos cuenta de que estamos soñando. La mayor parte del tiempo, sin embargo, estamos profundamente dormidos.

Ludwig Wittgenstein

Sacerdote

Soñar con un sacerdote puede indicar dos cosas totalmente distintas. En un caso significa ansiedad y desesperación, estados que perturban tu alma. Sientes que necesitas consuelo espiritual. En otro caso, soñar con un sacerdote está relacionado con preocupaciones derivadas de problemas legales.

Saltar

Soñar que saltas refleja un estado de ánimo ligero y audaz. No temes correr riesgos si es necesario para alcanzar tus objetivos. El sueño te indica que necesitas decisión, y tú estás preparado para decidir. Progreso espectacular en la consecución de tus objetivos. Si sueñas que deseas saltar pero no puedes, indica un carácter totalmente contrario al significado anterior: tienes temor de dar el primer paso, por lo que será difícil que alcances alguna meta. Quieres saber cómo te irá antes de arriesgarte. No te gustan los cambios ni los riesgos. Si sueñas que das un salto para librar un muro y caes, significa que tomarás decisiones muy equivocadas.

Sangre

Ver sangre en un sueño indica remordimientos por actos realizados en el pasado, luchas y conflictos interiores. Este sueño también presagia grandes dolores. Avisa de peligros que se ciernen sobre ti, enemigos o enfermedades. Si ves que tu cuerpo sangra de alguna parte significa muy directamente problemas de salud y conflictos con socios o compañeros de trabajo. Soñar que tienes las manos manchadas de sangre es un presagio de mala suerte. También puede significar que te sientes avergonzado de algún acto desleal que te atormenta. Soñar que bebes sangre es un augurio contradictorio, pues indica que destacarás en tus actividades pero lo harás derrumbando cualquier

obstáculo que se te ponga enfrente, sin el menor escrúpulo.

Sapo

Soñar con un sapo es un indicio de que tiendes a adoptar más de una personalidad para aprovecharte de los demás. Si ves a un sapo saltando y croando significa que deseas adoptar otra identidad, no estás contento contigo mismo. Debes aprender a alimentar tu amor propio. Si pisas a un sapo en tu sueño, significa que serás criticado por la gente cercana a ti.

Sardinas

Soñar con sardina es un presagio de que estás por enfrentar tiempos muy duros.

Secuestro

Soñar que eres secuestrado te avisa de una posible traición de alguien en quien has depositado toda tu confianza. Te sabes vigilado por esa persona y sospechas sus malas intenciones, pero piensas que tus juicios son errados. El sueño te indica que confías más en tu instinto. Debes dejar de mostrar tus opiniones libremente como hasta ahora, pues utilizarán tus palabras en tu contra. Si tú eres el secuestrador en tu sueño, significa que sientes envidia por considerar que alguien te arrebató algo que es tuyo. Soñar que alguien que conoces está siendo secuestrado y eres testigo, significa que tratas de acallar las opiniones de los demás para imponer tu punto de vista.

Selva

Soñar que estás dentro de una selva es indicio de un carácter reservado y rencoroso. Ocultas tus actos con mentiras, incluso cuando no es necesario.

Semáforo

Soñar con un semáforo es una advertencia de que tienes que estar alerta y con los cinco sentidos muy afinados para evitar ser sorprendido. En ese sentido, este sueño te indica que pronto será necesario que hagas uso de tu capacidad de reacción.

Senos

Los senos simbolizan la alimentación, la abundancia, la energía y la sexualidad, pero también representan deseos de evasión y ansias de ser protegido. En un sentido, este sueño revela exuberancia, ganas de vivir a plenitud, y en otro sentido es proyección de una necesidad de contar con el apoyo de figuras paternas

que te den consejo o deseos de huir del cumplimiento de tus responsabilidades y compromisos. Despreocupación tanto como dependencia.

Sueños específicos:
* Soñar que contemplas los senos desnudos de otra persona significa prosperidad y una vida social muy rica, variada e interesante.
* Si sueñas que contemplas a un bebé alimentándose de un pecho significa que todas las preocupaciones que te abruman en este momento se desvanecerán muy pronto.
* Una mujer que se sueña con los senos desnudos está sintiéndose expuesta a las miradas de otros, sensación de que invaden su intimidad, pero también puede indicar que se ha despertado su instinto maternal.
* Soñar que te acaricias el pecho o los senos indica una fuerte confianza y una gran seguridad.

Serpiente

La serpiente es el símbolo universal de la tentación y la traición. En general, soñar con serpientes significa que estás siendo atraído por fuerzas que debes entender o reprimir para evitar caer en una espiral sin control. También es indicio de una conducta velada, estás esperando una oportunidad para aprovecharte de los demás. En general, soñar con serpientes tiene un significado muy claro de sentirse tentado por fuerzas demoníacas.

Sueños específicos:
* Soñar que te ataca una serpiente significa que estás a punto de sufrir una traición inesperada y dolorosa.
* Si sueñas que ves una serpiente enroscada en un árbol o reptando por su superficie significa temor de ser ridiculizado y expuesto en público. Alerta sobre posibles humillaciones.
* Soñar que pisas una serpiente te advierte sobre la aparición de enemigos en tu entorno o personas que te traicionarán.
* Un sueño en el que una serpiente se enrosca en tu cuerpo tiene el significado de que te

verás tentado a desahogar tus impulsos sexuales sin ningún prejuicio.

* Si sueñas que una serpiente te muerde significa que eres susceptible de dejarte influir por ideas muy negativas, lo que puede redundar en debilidad de tu negocio.

* Soñar que estás rodeado de serpientes significa que temes ser engañado por tu pareja.

* Si sueñas que ves a una persona siendo atacada por una serpiente indica que sientes culpabilidad por la forma en que ganaste dinero o culminaste exitosamente un proyecto.

* Soñar a una serpiente cruzando la carretera indica un temor irracional a enfermar, este sueño es muy propio de personas hipocondríacas.

* Si sueñas que ves a una serpiente siseando y sacando la lengua significa que te sientes en desventaja respecto a tus enemigos. Debes idear estrategias para hacerles frente.

* Si sueñas que contemplas a alguien hipnotizando a una serpiente indica problemas legales por causa de una traición.

Sexo

Los sueños relacionados con el sexo requieren de mucha precisión para ser interpretados de manera correcta, puesto que en ellos cada detalle tiene relevancia y cada elemento del sueño modifica la interpretación. En términos generales, soñar con sexo, desprovisto de todo vínculo afectivo, indica un carácter práctico y endurecido. Carencia de impulsos afectivos profundos. Los fracasos no son bien encaminados y tienden a convertirse en desahogo sexual. Soñar con sexo también significa deseos reprimidos.

Sueños específicos:
* Soñar que ves los genitales de una persona del sexo opuesto tiene un significado muy claro: impulsos sexuales muy fuertes debido a

El primer indicio de la curiosidad humana por el sueño se remonta a la Grecia clásica, en cuya mitología aparece *Hipnos* como dios del sueño, hermano gemelo de la muerte no violenta *Tánatos* y hermano de las muertes violentas *Keres* y las diosas del destino *Moiras,* entre otros. Se le consideraba hijo de la noche *Nyx,* nacida a su vez del *Caos.* El sueño aparece vinculado a la muerte y la noche.

que han estado reprimidos y se proyectan en el sueño. Sin embargo, también es un sueño que indica una posible infidelidad o incapacidad para juzgar correctamente una situación un tanto compleja.

* Soñar que mantienes sexo con alguien por la fuerza es un presagio de que las cosas se están escapando de tu control y te sientes perdido.

* Soñar que contemplas tu propio sexo indica una alta autoestima, pero si lo muestra en un acto exhibicionista significa que tienes necesidad de una vida sexual más satisfactoria y completa.

* Soñar que mantienes sexo con alguien que no es tu pareja significa que te sientes descuidado en ese aspecto, estás en riesgo de buscar una aventura que haga tu vida más plena.

* Soñar que tienes sexo con una antigua pareja indica que hay aún aspectos que no superas de esa relación.

Silla

Si sueñas que ves cómo fabrican una silla significa que tienes preocupaciones laborales. Soñar que estás sentado en una silla indica un gran cansancio interior, debes considerar la posibilidad de tomarte unas vacaciones o dedicar más tiempo libre para ti y tus necesidades. Ver a un grupo de personas sentadas en sillas es un presagio de que recibirás noticias de muerte o enfermedad grave. Soñar con sillas vacías significa despreocupación de asuntos importantes. Estás siendo negligente en aspectos que no debes permitir descuidar, pues podrías perder mucho.

Simio

Soñar con un simio es una alerta para que afines tus sentidos. Estás a punto de ser engañado por gente en la que confías. Abuso de confianza y engaños deliberados.

Sirena

Si un hombre sueña con una sirena, el inconsciente le está avisando que debe enfocar sus asuntos con la parte femenina de su interior. En vez de ser brusco y autoritario, debe esforzarse por apelar a la comprensión y la suavidad de trato. Una mujer que sueña con sirenas está sintiéndose amenazada, o bien se resiste a utilizar sus cualidades femeninas, pues tiene serias dudas sobre su identidad sexual. Habla de una baja autoestima.

Sol

Claridad, iluminación, capacidad de comprensión y discernimiento. Soñar con el sol es un buen augurio, pues te anuncia prodigalidad, generosidad y un intelecto maduro, capaz de juzgar incluso las situaciones más complejas. Sin embargo, si sueñas que la luz del sol es débil o hay oscuridad a pesar de la presencia del sol, es un presagio de muerte y enfermedades, este significado se agudiza si eres testigo de un eclipse de sol. Si ves aparecer el sol por entre las nubes significa que las preocupaciones se alejarán hasta desvanecerse por completo. En general el sol aparece en sueños para indicar alegrías, abundancia y tiempos nuevos, renovación y optimismo.

Sombrero

Soñar que llevas puesto un sombrero es un buen augurio que presagia protección por parte de gente poderosa o influyente. Te sientes respaldado y eso te da fuerza para intentar cosas

nuevas o emprender proyectos que sentías que estaban fuera de tu alcance. Si hay muchos sombreros en tu sueño significa que tendrás una vida social interesante y agitada y con muchas amistades. Soñar con un sombrero de copa indica un temperamento ambicioso, pero al mismo tiempo muy competente. Lograrás todo lo que deseas, hasta en los detalles más insignificantes, y serás admirado y objeto de halagos. Un sombrero nuevo es un presagio de dinero en abundancia. Sin embargo, si en el sueño el viento se lleva tu sombrero, es una advertencia de que no debes confiar tanto en tus cualidades y esforzarte más o perderás dinero o amistades valiosas.

Sopa

Soñar que estás comiendo sopa significa que alguien a quien quieres mucho se recuperará de una enfermedad en apariencia muy grave. También es un presagio de prosperidad y felicidad.

Suicidio

Soñar con el suicidio, independientemente de las circunstancias, o si eres tú u otra persona quien lo comete, indica un temperamento fúnebre, pensamientos negativos y tendencia a dejarse arrastrar por la depresión.

Supermercado

Soñar con un supermercado atractivo y con gran variedad de víveres y artículos indica prosperidad y abundancia, aun si estás en la peor de las rachas de tu vida, este sueño te indica que debes prepararte porque se avecinan tiempos muy buenos en todas las áreas. Felicidad, amistades fieles, negocios beneficiosos. Sin embargo, si el supermercado está vacío o tiene pocos artículos es un presagio de que se acercan tiempos difíciles.

Sin nuestros sueños, envejeceríamos antes.

Novalis

Tarántula

Soñar con una tarántula significa que algún plan de placer o descanso va a tener que cancelarse por causa de una enfermedad ligera, como una gripe. En el terreno amoroso tampoco es un buen augurio, seguramente sufrirás una desilusión.

Tatuaje

Soñar que tienes un tatuaje indica una atmósfera apropiada para algunos cambios que necesitas realizar en tu vida desde hace mucho. La clave del significado de este sueño es "Mudanza, tiempos favorables".

Teatro

Soñar con un teatro indica una autoestima lastimada. Estás pasando por un periodo paralizante provocado por una profunda desconfianza en tus dones y habilidades. Temes acometer cualquier actividad y te desalientas fácilmente. Si sueñas con un teatro vacío significa que estás guardando un secreto y te sientes mal por ello.

Techo

El techo simboliza la protección y el refugio. Bajo el techo están tus bienes más preciados: la familia y el hogar. El significado de soñar con un techo, si es atractivo, está limpio y en buen estado, es una sensación de realización personal, agrado y tranquilidad por ser capaz de proporcionar seguridad a la gente que quieres. Si el techo está descuidado o amenaza venirse abajo significa que sobrevendrá un periodo de angustia, preocupaciones constantes por la salud de algunos de tus seres queridos, lo cual, irónicamente, hace que seas tú quien podría perder la salud. También puede anunciar la muerte de una persona cercana o la cancelación de proyectos importantes o la pérdida del trabajo.

Teléfono

Soñar que estás haciendo una llamada telefónica significa que muy pronto vas a recibir noticias importantes. El carácter de estas novedades es ambivalente, pueden ser buenas o malas.

Televisión

Soñar con una televisión encendida indica un agudizamiento de tus sentidos. Has estado muy consciente de ti mismo y de los demás. Sabes que hablan mal de ti a tus espaldas, pero no es algo nuevo, sólo que hasta ahora has sido capaz de percibirlo. Si la televisión está apagada significa malas noticias, de las que no tardarás en enterarte.

Terremoto

Soñar con un terremoto presagia cambios muy profundos en tu

vida. Este sueño es muy significativo porque tiende a aparecer en momentos clave en la vida de una persona. Seguramente estás por dividir tu existencia en un antes y un después. Los cambios pueden ser positivos o negativos, pero en todo caso serán repentinos, por lo que el sueño te advierte como una forma de prepararte o ponerte sobre alerta. Lo que ocurra va a ser tan importante que modificará tu visión de la vida y afectará a tu personalidad. Si el cambio es negativo, aprenderás algunas lecciones que hasta ahora has rechazado, en adelante serás más receptivo. Además, servirán para que te conozcas mejor a ti mismo. Si el cambio es positivo, simplemente limítate a disfrutarlo. Si sueñas con un terremoto también puede ser un presagio de una difícil experiencia a nivel emocional. Enfermedades, depresiones y muertes.

Tiburón

Soñar con un tiburón indica que te sientes amenazado por alguien a quien consideras más apto que tú en el terreno en el que te amenaza. Puede ser un superior o un compañero de trabajo con una gran maldad. Sentimientos de desamparo y vulnerabilidad. Puede ser también que en este sueño estás proyectando esas peculiaridades de tu propio carácter. No son otros los amenazantes, sino tú mismo. Analiza tus sentimientos hacia los demás y controla tus emociones negativas. Si sueñas que te ataca un tiburón significa que debes hacer frente a una situación engorrosa, que has estado evitando hasta ahora porque tienes la sensación de que algo saldrá mal. Tus presentimientos son correctos, por eso debes meditar antes de actuar.

Tierra

Si la tierra está cultivada, significa promesa de ganancias financieras; si el terreno está abandonado, anuncia fracasos y dificultades; soñar que estás cubierto de tierra significa posibles humillaciones y penas amorosas, y si la tierra es color terracota, se aproxima una decepción.

Tigre

El tigre simboliza poder y fuerza salvaje. Si sueñas que eres un tigre, el sueño indica que estás atravesando una plenitud física y confías en tus reacciones. Hay un control absoluto sobre cada uno de los aspectos más im-

portantes de tu vida. Soñar que un tigre se dirige a ti para atacarte significa que tienes temores muy fundados de ser obligado, por alguno de tus superiores, a hacer cosas que normalmente no harías. Si un tigre te ataca, significa que la situación ya es extrema y estás sufriendo de abuso o manipulación. Si vences al tigre, las cosas mejorarán notablemente. Soñar con la piel de un tigre es un buen augurio que presagia una vida exitosa y llena de placeres. Soñar que ves a un tigre enjaulado indica vigor físico y sexual. Pasas por un momento de gran concentración. Este sueño también puede indicar que tu instinto paternal ha despertado y está listo para reproducirse.

Tiro

Soñar con tiros de un arma indica un carácter fuerte y dominante. Enfrentas los retos con valentía y no temes a nada. Eres agresivo en los negocios y en el amor y no permites que nada se interponga entre tus deseos y tus metas.

Sueños específicos:
* Soñar que te disparan un tiro indica que te sientes vulnerable en una situación en la que están involucradas personas cercanas a ti en las que no confías. Te sientes desprotegido. Este sueño también indica una proyección sobre algo que te incomoda de ti mismo, has hecho algo de lo que te arrepientes y el remordimiento hace que sueñes que sufres un castigo merecido. Del mismo modo, soñar que eres atacado con un arma de fuego significa que desearías escapar de la vida que tienes, convertirte en otra persona.
* Soñar que disparas a alguien indica fuertes sentimientos de agresividad contra esa persona en particular, pero también indica hostilidad en tu ambiente laboral.
* Soñar que disparas contra ti mismo indica que sufrirás momentos muy difíciles y te culpas de ellos.

Torero

Soñar que ves a un torero o que tú eres torero indica un carácter exhibicionista. El sueño te señala que es muy complicado mantenerte siempre en el ojo público. Sabes que puedes ser ridiculizado, y el sueño confirma esos temores. Cuida tu imagen.

Tormenta

Soñar con una tormenta puede tener una lectura doble, triple y hasta múltiple dado que este sueño representa una amplia gama de símbolos, que van desde la creación en un extremo, pasando por el cambio o el renacimiento, hasta la destrucción en el extremo opuesto.

Sueños específicos:
* Soñar que contemplas una tormenta significa que las circunstancias pondrán a prueba tu estado de ánimo y tu temple. Enfrentarás situaciones novedosas que requieren una capacidad de análisis muy profunda

para descifrarlas y elegir el camino correcto.
* El rayo y el trueno de la tormenta, si aparecen en su sueño, significan fuerzas creativas o destructivas, pero en todo caso aliadas tuyas en este trance.
* Si te sueñas soportando una tormenta y no tienes dónde guarecerte, significa que hay fuerzas en ti que temes desatar porque podrían provocar una devastación. Este sueño también se refiere a poderes reales, representados en el conocimiento de un secreto de otra persona, y tú sabes que conocerlo te hace dueño de gran parte de sus actos.
* Soñar que ves grandes nubarrones que anuncian tormenta significa que el trabajo y las ocupaciones cotidianas te apartarán de tus amigos y tu familia durante un tiempo considerable, lo que te provocará una gran tristeza.
* Soñar con una tormenta de relámpagos significa un temperamento muy enérgico y poco tolerante. Te meterás en problemas a causa de él.

Toro

Soñar con un toro presagia un panorama totalmente propicio para las relaciones humanas, la amistad y el amor, pero es un presagio muy malo para los negocios y el trabajo.

Sueños específicos:
* Soñar que ves a un toro pastando significa plenitud sexual insatisfecha.
* Si el toro es agresivo significa que tus tendencias pasionales están fuera de control.
* Si un toro te persigue es un presagio de que tendrás graves problemas en tu trabajo o en el ambiente laboral. La envidia y los celos se manifestarán en forma impulsiva e intentarán hacerte daño.
* Soñar que te cuerna un toro es un augurio de que los problemas van a robarte la energía o a distraerte de asuntos muy importantes. En todo caso, te harán perder los estribos y concentración, lo que redundará en pérdidas económicas.
* Si eres testigo de cómo un toro pega una cornada a otra persona significa que deseas beneficiarte de la desconcentración de tus enemigos para darles una lección o hacerles la vida imposible.

Torta

Símbolo de abundancia y tiempos llenos de placer y felicidad. Si sueñas que te comes una torta significa que tu felicidad será compartida.

Tortuga

Soñar con tortugas puede significar que vas a progresar de forma lenta pero segura. Es aconsejable que no vayas tan rápido, para poder lograr tus objetivos. Otra interpretación de un sueño con tortugas es que pretendes protegerte de la realidad en tu vida normal.

Siempre habrá sueños más grandes
o mas humildes que los tuyos, pero
nunca habrá un sueño exactamente
como el tuyo. ¡Porque eres único y
más maravilloso de lo que tú sabes!

Linda Staten

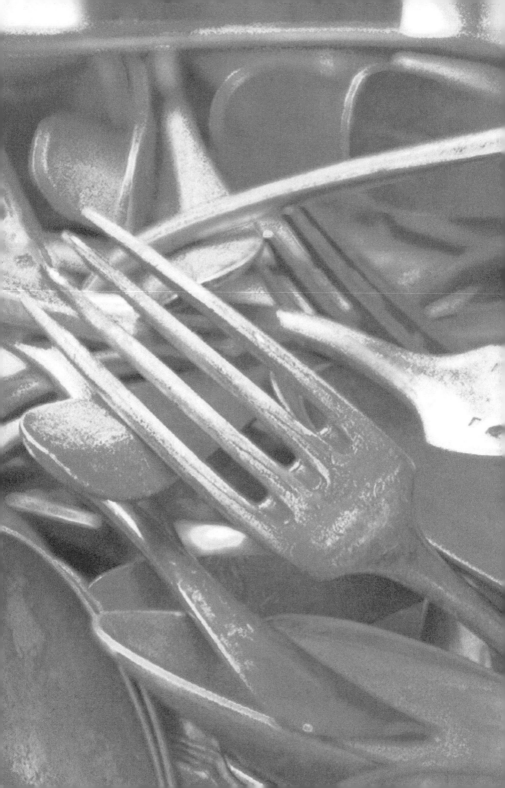

Trabajo

Soñar con algún aspecto de tu trabajo puede ser una proyección de una preocupación real. Tu mente te está diciendo en el sueño que no debes olvidarte de realizar alguna actividad que es importante. Si sueñas que estás en tu trabajo posiblemente se debe a que has estado un poco ocioso y debes recuperar el tiempo perdido. Si sueñas que buscas un trabajo significa insatisfacción en alguna área importante de tu vida, no sólo la laboral.

Traición

Este sueño tiene un significado muy directo. Es de los pocos sueños que tienen simbolismos muy remotos, por lo que suele interpretarse literalmente. En ese sentido, si sueñas que traicionas a alguien significa que abrigas sentimientos hostiles contra esa persona, aunque, si ya la traicionaste en la vida real, soñar que lo haces es una proyección de sentimiento de culpa. Si sueñas que alguien te traiciona, confía en tu instinto, pues eso es justamente lo que están tramando, alguna trampa o venganza contra ti. En más de un sentido te sentirás decepcionado al descubrir, mediante este sueño, la identidad de quien desea traicionarte.

Tren

Soñar con un tren tiene simbolismos muy ricos, por lo que todos los detalles cuentan al momento de hacer una interpretación. En principio, soñar con un tren es un buen augurio, puesto que el tren simboliza término y buen cumplimiento de las metas personales.

Sueños específicos:
* Si sueñas que viajas en un tren significa recompensa a tus esfuerzos y satisfacción por la labor realizada. También puede indicar la proximidad de un viaje por motivos familiares.
* Soñar con un tren descarrilado significa problemas y desgracias. Si el tren está detenido en mitad de las vías significa retrasos, molestias e incomodidades.

También indica dificultades en el área laboral.

* Un tren de carga es un buen augurio de tiempos favorables, está por aparecer un negocio que te rendirá muy buenos frutos.

* Si sueñas que pierdes un tren es un presagio de conflictos que te

obligarán a reclamar a alguien su proceder contigo.

Túnel

Soñar con un túnel oscuro significa confusión sentimental. Estás por terminar una relación amorosa que, en el fondo, te proporciona muchas satisfacciones. Tu testarudez te llevará a un enfrentamiento que se resolverá en una separación que vas a lamentar. Si en tu sueño estás dentro de un túnel, significa que estás en un proceso de conocimiento interior, hay una exploración deliberada de tus actos y tus motivaciones. Soñar con un túnel al final del cual se ve una luz significa deseo de trascendencia, un fuerte impulso por hacer cosas nuevas en tu vida. El túnel simboliza también el origen de la vida, el nacimiento de situaciones novedosas.

Si se cree en un sueño, se sabe una verdad.

Kierkegaard

U

Unicornio

Soñar con un unicornio simboliza un profundo deseo de pureza. Te sientes contaminado de sentimientos innobles y deseas escapar de ellos para gozar sensaciones de bondad e inocencia. También es un presagio de una vida agitada y con muchos viajes.

Uniforme

Soñar con un uniforme, en términos generales, es símbolo de un carácter muy determinado y dirigido a alcanzar el éxito. El sueño en el que te ves usando un uniforme es un presagio de que destacarás en las actividades que realices.

Los sueños son renovables. No importa cuál sea nuestra edad o condición, siempre hay posibilidades inexploradas en nuestro interior y nueva belleza esperando nacer.

Dale Turner

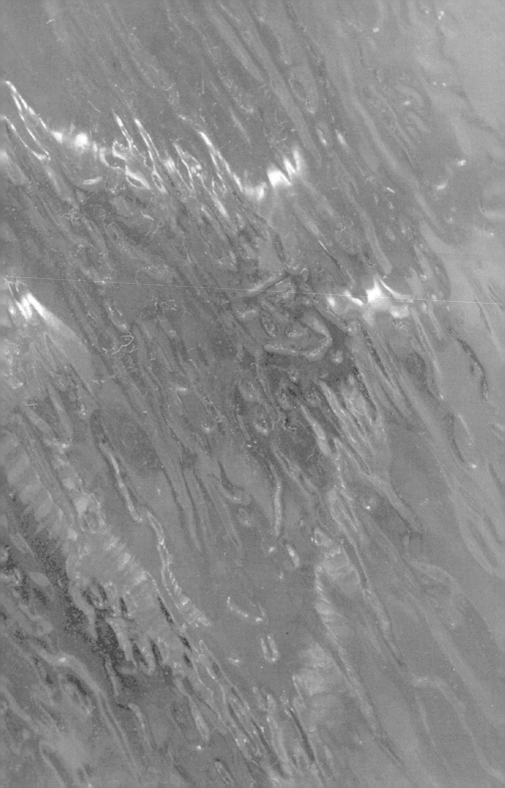

Uñas

Soñar con una uña rota significa rechazo o repugnancia por una situación muy concreta en tu vida, quieres escapar de algún compromiso cuya responsabilidad te incomoda. Si sueñas que te muerdes las uñas significa problemas de difícil solución. Si sueñas que te pintas las uñas significa que deseas intensamente una vida lujosa.

Uva

Soñar con uvas significa éxito laboral, reconocimiento y ascensos. Todos los sueños en los que aparecen las uvas indican un futuro promisorio. Si estás comiendo las uvas, o el racimo es muy abundante, tus posibilidades de prosperidad y éxito aumentan.

V

Vaca

Soñar con una vaca es un buen augurio, pues presagia una vida de abundancia, prosperidad y deseos realizados. Si ves a un grupo de vacas pastando indica necesidad de contar con amistades leales. En términos generales, este sueño presagia situaciones satisfactorias y compañías duraderas, sólidas y fieles.

Soñar que oyes mugir a las vacas, significa que tendrás buena suerte. Soñar que ordeñas a una vaca es un augurio de grandes esfuerzos, pero también de grandes recompensas.

Vacaciones

Soñar con vacaciones significa evasión de responsabilidades. Pero también tiene un significado muy directo: tu cuerpo te está avisando de un cansancio extremo. Debes tomar las cosas con calma y consentirte un poco.

Vampiro

Soñar con un vampiro es un presagio de aventuras y emociones. Tu vida se tornará muy interesante.

Vaso

Soñar con un vaso vacío es un presagio de infelicidad, insatisfacción y desgracias. Un vaso lleno de agua es un anuncio de que debes confiar en la sinceridad de la gente que te rodea. Si actúas con transparencia, te verás lleno de buenos deseos y amor correspondido.

Velas

Soñar con velas encendidas significa dos cosas opuestas. Si en

el momento del sueño una persona cercana está enferma, es presagio de que empeorará e incluso estará en peligro de muerte. Pero también puede sinificar que estás a punto de iluminar tus caminos y despejar tus dudas. Soñar con una vela humeante significa tiempos confusos. El sueño te indica que debes tomar las cosas con mucha seriedad y analizarlas detenidamente. Las velas apagadas marcan la terminación de algo y la muerte de una persona cercana.

Si una mujer sueña que enciende una vela significa que la persona que está a su lado en este momento se convertirá en su pareja ideal.

Venganza

Soñar con deseos de venganza significa inseguridad para afrontar los problemas. Te verás en una situación que no vas a poder resolver y esto te provocará remordimientos y una mayor inseguridad. Es posible que nunca vuelvas a incursionar en un área en la que has fracasado porque te sientes incapaz e inadecuado.

Las ventanas tienen un simbolismo muy rico. Representan entrada y salida de la luz, caminos de sabiduría y madurez. Es muy común que las personas que sueñan con ventanas estén deseando una vida tranquila y apacible donde puedan permitirse un ambiente propicio para asuntos espirituales. Anhelos de transcendencia.

Sueños específicos:

* Soñar que miras por una ventana hacia el exterior indica un estado de ánimo receptivo, con deseos de aprender cosas fundamentales para tu vida. Sientes fundadas esperanzas en que disfrutarás de los frutos de un largo y pesado esfuerzo. Recompensa y satisfacción.

* Ver al interior de un lugar desde una ventana significa necesidad de introspección, quieres conocerte mejor a ti mismo. Te preguntas acerca de motivaciones esenciales en tu vida.

* Ver ventanas cerradas te anuncia que alguien va a abandonarte. En un sentido este abandono puede ser simbólico, es decir, dejarán de pensar como tú, desertarán de su postura de aliados.

* Una ventana rota presagia una decepción amorosa que te causará un gran dolor.

Vértigo

Soñar con temor a las alturas simboliza metas muy altas, planes ambiciosos. Es un buen augurio, pues presagia que tendrás éxito en todo lo que te propongas hacer, incluso a pesar tuyo. Este sueño te indica que a pesar de que no tienes confianza en ti mismo, tu buena suerte no te abandonará.

Viaje

Soñar con un viaje simboliza la etapa en la que se encuentra tu vida. En el plano sentimental indica la proximidad del amor correspondido. En el plano psicológico significa iluminación, conocimiento maduro de ti mismo. En el plano laboral anuncia que estás muy cerca el cumplimiento satisfactorio de tus tareas, proyectos y objetivos cumplidos. Si en tu sueño has llegado al final de un viaje, esto simboliza también la llegada a las metas y el cumplimiento de tus deseos. Si te sientes insatisfecho con la forma en que se conduce tu vida, este sueño te anuncia la llegada de muchas emociones, te apartarás de la monotonía.

Viento

Soñar con viento simboliza el empuje, la energía y la iniciativa. Un viento fuerte indica un carácter tenaz; dependiendo de las circunstancias del sueño, si la fuerza del viento es incontrolable puede anunciarte una época confusa, llena de actos inmaduros. Un viento suave presagia una vida tranquila. Si sueñas que el viento te arrastra significa que vivirás situaciones apremiantes en el trabajo o que sufrirás una fuerte decepción amorosa.

Vino

Soñar que bebes vino simboliza un espíritu predispuesto a la celebración. Te sientes libre de preocupaciones.

Virgen

Soñar con una virgen, en sentido religioso, simboliza un

profundo deseo de ser protegido. Buscas comprensión. Estás en una etapa de mucha sensibilidad. Es recomendable que durante un tiempo no te expongas a situaciones conflictivas, pues de lo contrario te dejarán huellas muy desagradables. Es momento de rodearte de la gente querida.

Volar

Soñar que vuelas representa tus deseos de libertad, no sólo de acción o de movimiento, sino también la necesidad de liberar instintos o anhelos reprimidos. Hay un impulso muy fuerte que te llevará a acometer empresas con el fin de transcender. Soñar que vuelas muy alto o te has convertido en un pájaro revela insatisfacción con aspectos fundamentales de tu vida. Hay un deseo de evasión muy profundo que te motivará a hacer cambios muy positivos en tu vida. Un sueño muy frecuente es aquel en el que te ves volando y deseas subir más alto sin lograrlo. Este sueño simboliza falta de energía, de dedicación. Quieres hacer muchas cosas, pero terminas por dejar todo a medias.

Vómito

Soñar que vomitas significa presiones y conflictos difíciles de resolver. Desconfías de algunas personas cercanas y de tus propias fuerzas. Peleas con amistades. Si sueñas que vomitas sangre significa que te encuentras en un estado muy receptivo espiritualmente y eres capaz de ver las consecuencias de tus actos, lo cual te dota para emprender confiado en tus intuiciones. También es un augurio de enfermedades graves.

En
los sueños
descansa y se recrea
nuestra encadenada
fantasía, mezclando sin orden
ni concierto todas las imágenes
de la vida e interrumpiendo con
su alegre juego infantil la continua
seriedad del hombre adulto.

Novalis

Zanahoria

Soñar con una zanahoria simboliza la felicidad, la prosperidad, el éxito y el reconocimiento. Hay un futuro luminoso en tu vida.

Zapatos

Soñar con zapatos nuevos significa que encontrarás razones muy poderosas que te impulsarán en la dirección más adecuada para tu vida en estos momentos. Debes dar pasos firmes y no dudar. Si sueñas con zapatos usados es un anuncio de que das importancia a labores insignificantes. Debes concentrarte en acometer las actividades más importantes y dejar de perder energía y empuje en aquellas que sólo te reportarán beneficios muy bajos.

Zorro

Soñar con un zorro es presagio de que estás por ser víctima de un enemigo solapado, que actúa astutamente a tus espaldas.

Zumo

Soñar con zumo o jugo de fruta simboliza una capacidad para ver todos tus asuntos bajo una luz nueva. Esta visión será muy provechosa, porque te permitirá discernir con mucha certeza. También indica un buen estado físico.

No olvides utilizar el *Diario de sueños*
que acompaña a este libro